250 recettes de cuisine juive espagnole

DANS LA MÊME COLLECTION

Photo couleurs : Jean-Louis Chardome.

Meri Badi

250 recettes de cuisine juive espagnole

Directeur de Collection : Michel Grancher

Jacques Grancher, éditeur.
98, rue de Vaugirard 75006

A tous les miens sans lesquels ce livre n'aurait pas vu le jour.

Préface

Fila, bulema, fritada, almodrote, boyo, boreka, etc., *des mots qui évoquent aussitôt dans l'esprit, le cœur et l'estomac de tout Judéo-Espagnol, qu'il parle encore sa langue plus ou moins bien ou pas du tout, un univers qui va se perdant.*

Des mots qui réveillent des soifs et des faims d'une ethnie qui se cherche.

Des plats qui sont à la culture d'un groupe humain ce que lui sont les exclamations, ces derniers vestiges d'une langue agonisante, ce qui reste lorsque tout a disparu.

Des mots qui retiendront l'attention et la curiosité de tout gastronome né.

Le manger et le boire constituent un pan important de toute culture. Ils marquent autant que la langue, les proverbes ou les chants.

Edgar Morin, sociologue originaire de Salonique, disait, au Colloque national Judaïsme, judaïcités *du C.N.R.S. : « La seule nourriture culturelle vraiment spécifique [que j'ai connue], c'est la nourriture alimentaire, le gratin d'aubergines, les borekas... C'est mon identité la plus profonde et la plus chère. »*

Combien cela est vrai ! J'ajouterai toutefois que cette nourriture a la saveur de notre langue qui la DIT et qui la SAVOURE, et qu'à la limite elle est spécifique de chaque cercle familial, car c'est les borekas *de sa mère ou de sa* nona *(grand-mère) que chaque Judéo-Espagnol préfère.*

Cette spécificité, les Judéo-Espagnols la recherchent dans les activités de l'Association Vidas Largas* (cours, ateliers, publications, films, conférences, etc.), chacun apportant son expérience, chacun collaborant à l'œuvre de sauvetage.

Grâce à Méri Badi sont arrachées à l'oubli 250 recettes de cuisine judéo-espagnole, recettes essayées une à une. Grâce à elle, KADA UNO PODRA SAVOREARLAS I AZERLAS SAVOREAR, chacun pourra les savourer et les faire savourer en mettant la main à la pâte selon les descriptions minutieuses et précises de notre Stambouliote.

Ce recueil vient prendre place dans le TREZORO KOLEKTIVO DJUDEO-ESPANYOL dont langue, us et coutumes, musique, proverbes, recettes de cuisine constituent le GRAND PUZZLE de la CULTURE d'une ETHNIE (ex-Empire Ottoman, Maroc septentrional et Oranie), encore et toujours dispersée sous les coups de l'histoire.

---

* Association pour la défense et la promotion de la langue et de la culture judéo-espagnoles, B.P. 470, 75830 Paris Cedex 17.

S'il faut manger pour vivre, il faut aussi manger pour agrémenter la vie. C'est ce que fera le lecteur en retrouvant ou en découvrant une cuisine qui s'ouvre à tous les vents d'Espagne, du Levant et du Couchant, une cuisine vénérable où les fumets espagnols, juifs, ottomans et méditerranéens se mêlent en un heureux mariage.

C'est à la table judéo-espagnole, avec ou sans nappe blanche, que Méri Badi vous convie.

La carte est là devant vous, un choix riche et varié comme le Refranero judéo-espagnol (proverbier) d'Enrique Saporta y Beja susceptible de vous conseiller en toute circonstance. Car il y est dit :

En tus afanes i apretos
Toma konsejo de tus refranes

c'est-à-dire, « dans l'embarras et l'ennui, consulte tes proverbes ».

Qu'il en soit ainsi de ce livre lorsqu'on cherche une idée de repas.

Variez vos menus, car, comme le dit le proverbe judéo-espagnol : PAN KON PAN, KOMIDA DE BOVO, « pain accompagné de pain, repas de sot ».

Bon appétit ! I BERAHA KE SE VOS AGA ! BERAHA I SALUD ! amen !

Haïm Vidal SEPHIHA,
Judéo-hispanologue,
Professeur à l'Université de Paris VIII,
à l'Ecole Pratique des Hautes Etudes
(IVe section-Sorbonne),
à l'Institut National des Langues et Civilisations Orientales
et à l'Institut Martin Buber de Bruxelles.

Introduction

Ce livre a pour objet de transmettre la tradition culinaire judéo-espagnole d'Istanbul.

Cette cuisine plonge ses racines dans l'Espagne antérieure au XVe siècle, où vécurent les Juifs avant leur expulsion en masse en 1492.

Tout en demeurant fidèle à sa double origine juive et espagnole, elle fut enrichie par les apports adoptés dans l'errance, et fortement influencée par les pays d'accueil de l'empire ottoman où les exilés se fixèrent définitivement.

En effet, bien qu'ayant une base commune dans sa conception, il existe des variantes qui diffèrent non seulement d'un pays à l'autre, mais aussi entre deux villes au sein d'une même région, voire entre deux familles dans le même quartier.

C'est cette diversité qui fait l'originalité de cette cuisine, dont les plats par leur appellation ou composition témoignent de l'histoire de cette ethnie dispersée une première fois à la fin du XVe siècle, et une seconde fois à l'aube du XXe avec l'éclatement de l'empire ottoman.

L'éparpillement des Judéo-Espagnols aux quatre coins du monde ne leur a pas fait complètement oublier cet héritage, dont les traces restent bien vivantes dans la mémoire collective.

Toutefois, le déracinement qu'a connu cette communauté a entraîné la perte de cette très ancienne tradition. D'où notre souci d'assurer sa continuité en la mettant d'une part, à la disposition des Judéo-Espagnols, qui souhaitent maintenir leurs coutumes ou renouer avec leur culture, et, d'autre part, en la faisant connaître aux gastronomes éclairés.

Cet ouvrage regroupe l'essentiel de la cuisine que nous avons connue dans notre milieu familial. Les recettes ont été expérimentées par nous et adaptées aux produits français.

Comme nos mères, nous « avons mis la main à la pâte ». Par un apprentissage minutieux, nous nous sommes initiée aux tours de main et secrets que renferme tout art de table pour perpétuer ce savoir culinaire transmis de génération en génération.

Nous avons donc rassemblé les recettes de cuisine judéo-espagnole telle qu'elle est encore en usage de nos jours en Turquie, et ainsi sauvé de l'oubli les plats de notre enfance aujourd'hui en voie de disparition. Nous avons en outre tenté d'exhumer ceux d'un passé plus lointain qui remontent à l'enfance de nos propres parents.

Nous avons pris soin d'exposer avec précision toutes les indications relatives à la confection d'un mets, de façon à pouvoir également instruire les néophytes ignorant tout de cette cuisine.

Mais le savoir-faire, certes indispensable, n'est pas suffisant. Devant le fourneau, nous avons pu (ô combien !) apprécier à sa juste valeur le dévouement de nos mères qui mettaient tant d'amour et de patience dans l'élaboration de nombreuses spécialités qui faisaient nos délices.

Même si la réussite de certaines recettes exige de l'expérience, il ne faut pas croire que toutes celles qui sont répertoriées ici soient nécessairement difficiles. Il y en a beaucoup qui sont simples et rapides. D'autres requièrent surtout une bonne motivation.

Il nous a paru intéressant de décrire les procédés traditionnels qui sont d'une grande simplicité et permettent la réalisation aisée de certaines préparations.

Nous avons également tenu à dire dans quelles circonstances ou à l'occasion de quelle fête se prépare tel ou tel menu. Ainsi, avons-nous pu donner un aperçu des us et coutumes des *Séphardim* d'Orient.

Et à présent nous vous convions, vous tous *keridos meldadores* (chers lecteurs) aux régals judéo-espagnols.

Les produits utilisés
et les ustensiles de cuisine

De nos jours, en France, la plupart des ingrédients employés dans la cuisine judéo-espagnole sont en vente dans les nombreuses épiceries spécialisées dans la diffusion des produits de la Méditerranée orientale et des Balkans.

Ainsi, en est-il pour la feuille de *fila,* le fromage blanc, le *kachkaval* et les feuilles de vigne en saumure.

Le fromage blanc et le *kachkaval* entrent dans la composition de certains pâtés et gratins (Voir page 146).

Ils sont aussi consommés au petit déjeuner, au goûter et souvent servis avec les hors-d'œuvre.

Selon sa provenance, le fromage blanc est plus ou moins salé. Il est possible de le dessaler en le laissant tremper dans l'eau durant un ou plusieurs jours.

Sur les marchés français, on trouve facilement le persil à larges feuilles plates, les feuilles de fenouil ou l'aneth, de même que tous les légumes et fruits figurant dans les recettes de cuisine judéo-espagnole.

D'autres aliments bien que moins courants sont également commercialisés en France, tels les concombres courts et gros, les betteraves crues, les prunes jaune clair au goût acidulé et les toutes petites figues violettes.

En revanche, les raisins aigres ou les roses comestibles sont des raretés gastronomiques dans le commerce alimentaire. Toutefois, il est possible de se les procurer avec un peu d'ingéniosité.

Dans tous les cas, nous indiquons notre démarche pour faciliter l'acquisition de ces denrées.

Nous n'avons pas reproduit les quelques recettes qui nécessiteraient certains fruits spécifiques comme les jeunes figues vertes ou les pruneaux acides de consommation exceptionnelle.

Les matières grasses.

Actuellement, c'est l'huile de tournesol qui est surtout utilisée dans la cuisine juive d'Istanbul. Elle peut être indifféremment remplacée par l'huile de maïs ou d'arachide.

La margarine s'emploie dans la confection des pâtisseries et des gratins. Le beurre est consommé au petit déjeuner ou au goûter, mais est exclu des plats cuisinés (1).

Les ustensiles de cuisine

Il est nécessaire d'avoir à sa disposition des marmites de tailles différentes et qui ne craignent pas les longues expositions au feu.

· Le couvercle est un élément indispensable dans cette cuisine, qui exige des cuissons à l'étouffée.

La passoire à pieds ne sert pas seulement à égoutter, mais aussi à pétrir certains légumes (le chou en salade) et à extraire le jus des fruits (les prunes golden et les raisins aigres).

La râpe à gros trous permet de recueillir le jus des tomates* et d'émincer finement les oignons (dans certaines recettes).

Nous décrivons le mode d'utilisation de ces différents ustensiles dans les recettes concernées.

Il est important de s'équiper d'une moulinette électrique pour râper et hacher les légumes, les fruits et les viandes.

Mesures

Une tasse à café = 10 cl.
Un verre = 15 cl.

---

(1) Pour des raisons de pratiques alimentaires, les Juifs ne mélangent pas la viande et les produits laitiers. L'absence de beurre dans la cuisine judéo-espagnole est liée à cette règle de la *kacherout*.
* *Voir introduction au chapitre : « Les légumes ».*

Les hors~d´œuvre
et salades

Mezes i salatas

Par leur variété, les *mezes* séduisent les palais les plus difficiles.

Assortis selon le goût et la saison, agrémentés de nombreux autres plats, tels que légumes, viandes, poulet, poissons mais aussi gratins et *tapadas,* ils composent l'essentiel des *pransos* (festins), tant appréciés des *Séphardis* d'Orient, qui fêtent volontiers la vie à toute occasion.

Il est d'usage d'en proposer un choix assez grand. Ils sont accompagnés de salades et de crudités.

Les *filas* et les *bulemas,* préparées à partir de la pâte feuilletée sont classées à part (1), mais ont la place d'honneur à toute table de *mezes.*

(1) Voir à la p. 147 *in* « Pâte feuilletée ».

1. TARAMA

Pour 6 personnes

Temps de préparation : 25 minutes

Ingrédients

150 g de rogue de morue ou d'œufs de cabillaud fumés
3 citrons
1 1/2 verre d'huile
3 cuillers à soupe bien pleines de chapelure ou la même quantité de mie de pain trempée et essorée

Préparation

Mélanger à la fourchette la rogue de morue avec le jus d'un citron et demi. Ajouter d'abord, doucement et tout en mélangeant au fur et à mesure, les trois-quarts d'un verre d'huile, puis la chapelure, ensuite le restant de la quantité totale d'huile et enfin le jus d'un citron et demi.

Pendant ces opérations successives, tourner sans arrêt en se servant d'une fourchette jusqu'à ce que l'huile soit entièrement absorbée.

Le *tarama* doit prendre la consistance d'une crème à la fois moelleuse et épaisse, et se teinter à peine de rose.

Mettre au réfrigérateur et servir frais.

Le *tarama* se prépare traditionnellement avec des œufs de carpe. Les quantités d'huile, de citron et de mie de pain peuvent varier selon le goût. Pour réussir ce plat, il faut surtout acquérir un bon tour de main, c'est-à-dire savoir travailler les différents ingrédients en veillant au dosage de l'huile. Même si on ne le réussit pas tout à fait la première fois (trop liquide par exemple),

on peut y parvenir assez facilement avec un peu d'expérience.

Il est aussi possible de le préparer au mixer (1). En voici la formule : mettre dans un gobelet la rogue de morue mélangée avec le jus d'un citron et demi et la monter au mixer comme une mayonnaise tout en y versant l'huile progressivement jusqu'à obtention d'une pâte homogène (1 à 2 minutes). Lorsque celle-ci commence à durcir, ajouter la mie de pain ou la chapelure et continuer à la travailler. Transvaser dans le plat de service et tourner avec une fourchette jusqu'à absorption complète de l'huile. Verser le jus d'un citron et demi et mélanger à nouveau.

Si le tarama est trop salé, ajouter de la mie de pain (ou la remplacer par de la chapelure) et le travailler à nouveau.

2. OIGNONS NOUVEAUX
Sevoyas freskas

Pour 8 personnes

Temps de préparation : 10 minutes

Ingrédients
1 botte d'oignons

Préparation

Débarrasser les oignons de leurs racines et de leurs pelures flétries. Couper les extrémités des parties vertes

(1) Le *tarama* travaillé à la main a la réputation de lui être supérieur.

de façon à garder les deux tiers des queues. Laver, égoutter et présenter les oignons entiers, munis de leur queue et sans aucun assaisonnement.

3. *BONITE SALEE*
Garato ou Lakerda

Pour 6 à 8 personnes

Temps de préparation : 30 minutes

Ingrédients

1 bonite de 30 centimètres de longueur
1 1/2 tasse à café de sel

Préparation

Se munir d'un récipient en terre assez large avec couvercle et d'un poids (grosse pierre par exemple).

Se servir seulement de la partie centrale du poisson (20 centimètres de longueur), en coupant à environ 5 centimètres à partir de chaque extrémité.

Laver et débarrasser la partie utilisée de la bonite de ses particules noires. Détruire la moelle en introduisant une brindille de balai ou un cure-dent.

Cette opération est nécessaire pour éviter que le poisson se gâte. Toutefois, si elle semble difficile, il est possible de demander au poissonnier de procéder à cette préparation. Laisser tremper le poisson dans l'eau durant 5 à 6 heures.

Mettre une bonne couche de sel dans le fond du récipient (une demi-tasse à café). Saupoudrer abondamment le poisson (égoutté et soigneusement séché avec un linge propre) avec le restant de sel (sans négliger les parties internes). Le coucher sur le lit de sel. Poser par-dessus une assiette le recouvrant entièrement et écraser avec un poids. Fermer hermétiquement avec le couvercle et laisser dans le réfrigérateur pendant 4 à 5 jours.

Couper le poisson en tranches très fines (0,2 à 0,3 centimètre d'épaisseur) et le consommer dans les deux jours qui suivent (au plus tard).

Le servir accompagné d'un gros oignon violet épluché, lavé et coupé en deux.

4. *MAQUEREAU SALÉ*
Vaht

Pour 6 personnes

Temps de préparation : 10 minutes

Ingrédients

2 maquereaux de taille moyenne (env. 20 cm de longueur)
1 tasse à café de sel

Préparation

Laver les maquereaux vidés et entiers. Les mettre à tremper dans de l'eau pendant 2 à 3 heures.

Les égoutter et les sécher soigneusement avec un linge propre. Saupoudrer d'une bonne couche de sel le fond d'une assiette (demi-tasse à café). Enduire de sel toutes les parties du poisson, en prenant soin d'en mettre une bonne quantité dans la tête et les parties internes. Disposer les poissons dans l'assiette. Recouvrir entièrement avec une deuxième assiette et laisser dans le réfrigérateur durant 4 à 5 jours avant de consommer.

Servir frais, après avoir enlevé l'arête et la tête, en découpant les poissons en tronçons de 2 à 2,5 centimètres de largeur. Les manger dans les deux jours qui suivent (au plus tard).

5. *CERVELLE*
Meoyo

Pour 6 personnes

Temps de préparation : 20 minutes
Temps de cuisson : 15 minutes

Ingrédients
1 cervelle de bœuf ou de veau

Préparation

Si la cervelle n'est pas nettoyée, enlever délicatement sa membrane à l'aide d'un couteau tout en la rinçant abondamment à l'eau froide (la maintenir sous le robinet). La laisser tremper dans de l'eau fraîche pendant 1 h 30 en changeant l'eau quatre à cinq fois.

Egoutter et faire cuire dans un litre d'eau bouillante salée pendant 15 minutes. Laisser refroidir la cervelle égouttée dans une passoire.

Séparer les deux hémisphères et découper chaque moitié (dans le sens de la largeur) en tranches fines de maximum 0,5 centimètre d'épaisseur.

Pour la suite de la préparation, se référer aux recettes suivantes.

6. *CERVELLE FRITE*
Meoyo frito

Pour 6 personnes

Temps de friture : 15 minutes

Ingrédients
1 cervelle de bœuf

Pour la friture
1 bol de farine
1 œuf battu
Huile
Sel

Préparation

Se référer à la description précédente pour la préparation de la cervelle.

Enduire chaque tranche d'abord de farine, puis d'œuf battu et faire rapidement dorer chaque face dans l'huile très chaude.

Saler et servir indifféremment chaud ou tiède.

7. *CERVELLE A LA SAUCE AIGRE*
Meoyo kon agristada

Pour 6 personnes

Temps de cuisson : 11 à 13 minutes

Ingrédients

1 cervelle de bœuf

Sauce

3 cuillers à soupe d'huile
2 citrons
1 1/2 verre d'eau
Sel
2 œufs battus avec 3 cuillers à soupe de jus de citron plus 5 cuillers à soupe de la sauce de cuisson

Préparation

Préparer la cervelle selon la description faite à la recette n° 5.

Mettre dans une casserole l'eau, l'huile et le jus de deux citrons. Saler, porter à ébullition et laisser cuire pendant 10 à 12 minutes. Réduire le feu au minimum, attendre 2 à 3 minutes avant de verser dans la sauce les œufs battus au jus de citron et à la sauce de cuisson (progressivement et tout en tournant continuellement jusqu'à épaississement du liquide, environ 5 minutes).

Retirer du feu et en napper les tranches de cervelle.

Servir tiède ou mieux encore froid.

8. *CERVELLE A LA SAUCE TOMATE ET PERSIL*
Meoyo kon perichil i tomat

Pour 6 personnes

Temps de cuisson : 25 à 30 minutes

Ingrédients

1 cervelle de bœuf

Sauce

5 tomates râpées ou 1 1/2 cuiller à soupe de concentré de tomate plus 1 1/2 verre d'eau
1 tasse à café de persil plat (lavé et effeuillé ou haché)
1/2 verre d'eau
3 cuillers à soupe d'huile
1 1/2 citron
Sel

Préparation

Préparer et cuire la cervelle en se reportant à la recette n° 5.

Recueillir le jus de tomate dans une casserole. Ajouter l'eau, l'huile, le jus de citron et le sel. Laisser mijoter à feu doux pendant 15 minutes. Parsemer de persil et prolonger la cuisson de 5 à 8 minutes. Si nécessaire, allonger la sauce avec un demi-verre d'eau chaude et attendre la reprise de l'ébullition. Disposer les tranches de cervelle dans la sauce, couvrir et faire cuire pendant 5 à 6 minutes (à petit feu).

Manger chaud, tiède ou froid.

9. *CERVELLE EN SALADE*
Salata de meoyo

Pour 6 personnes

Temps de préparation : 5 minutes

Ingrédients
1 cervelle de bœuf

Assaisonnement
4 cuillers à soupe d'huile
2 citrons
1 cuiller à soupe de persil lavé, égoutté, effeuillé ou haché (facultatif)
Sel

Préparation

Préparer et cuire la cervelle selon la recette n° 5.

Servir froid après avoir disposé et assaisonné les tranches de cervelle dans le plat de service.

10. *AUBERGINE FRITE*
Berendjena frita

Pour 4 à 6 personnes

Temps de préparation avec la friture : 25 minutes

Ingrédients
2 grosses aubergines (les choisir bien fermes et brillantes)
2 œufs battus
Huile pour la friture
Sel

Préparation

Laver les aubergines, leur enlever queue et feuille. Les éplucher en laissant des bandes longitudinales de peau d'à peu près 3 centimètres de largeur (1).

Les couper dans le sens de la largeur en tranches d'environ 1 centimètre d'épaisseur (2). Enduire les tranches sur leurs deux faces d'œuf battu et les dorer de chaque côté en les plongeant dans l'huile très chaude.

L'aubergine étant friande d'huile, en prévoir une quantité suffisante. Ne pas laisser fumer la poêle et ajouter de l'huile, au fur et à mesure de son absorption. Veiller au feu et le baisser si nécessaire pour éviter que les tranches brûlent.

Les saler avant de les servir chaudes ou froides.

(1) Ceci pour éviter que l'aubergine s'écrase pendant la cuisson.
(2) Pour les aubergines qui ont un goût amer, il est conseillé de les saupoudrer de sel, de les laisser dégorger durant 1 heure, de les laver et de les essuyer avant de les frire de la manière indiquée.

11. *CAVIAR D'AUBERGINE*
Salata de berendjena asada
Pour 2 personnes

Temps de préparation : 1 heure

Ingrédients
1 grosse aubergine d'environ 500 g (ferme et brillante)

Assaisonnement
3 cuillers à soupe d'huile
1 1/2 citron
Sel

Préparation

Laver l'aubergine, enlever la feuille entourant la tête. Laisser la queue qui servira à la manipulation.

Poser l'aubergine directement sur la flamme du gaz et faire griller la peau entièrement en exposant au feu chaque face pendant 5 minutes (sur feu vif).

La laisser refroidir à la température ambiante durant 10 à 15 minutes. La mettre dans une passoire et, en la tenant par la queue, enlever à la main ou au couteau la peau calcinée. La maintenir pendant cette opération sous l'eau du robinet. La laver de façon à la débarrasser des moindres parcelles de peau. Détacher la queue.

Egoutter la pulpe de l'aubergine et enlever les graines (en laisser le moins possible) (1).

Réduire l'aubergine en purée en l'écrasant à la fourchette ou en la passant à la moulinette électrique ou au mixer.

Mettre la purée d'aubergine dans un récipient et la battre longuement avec une cuiller en bois pour la ramollir. Enlever les particules de peau calcinée, les morceaux de chair non cuits et continuer à l'écraser à la fourchette.

Laisser refroidir et assaisonner en incorporant les ingrédients à la purée.

12. *FEUILLES DE VIGNE FARCIES*
Yaprakes de parra
Pour 10 personnes

Temps de préparation : 3 h 30
Temps de cuisson : 1 heure
(Environ 70 rouleaux)

Ingrédients
500 g de feuilles de vigne en saumure (2)
2 1/2 à 3 litres d'eau pour la cuisson des feuilles

Farce
1 kg d'oignons hachés tout menu
8 cuillers à soupe d'huile
1/4 de cuiller à café de sucre
Sel
2 citrons
2 verres de riz cru (trié, lavé et égoutté) (3)
1/2 tasse à café de menthe fraîche (lavée et hachée)

---

(1) Certaines qualités d'aubergines n'ont pas beaucoup de graines.

(2) Pour les feuilles de vigne fraîches (non traitées chimiquement), cueillir les plus tendres, les laver, les faire bouillir dans une grande quantité d'eau jusqu'à ramollissement et les préparer de la même manière.

(3) Mettre le riz dans une passoire après l'avoir trié et le laver abondamment à l'eau froide. Laisser égoutter.

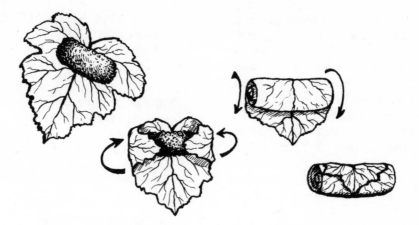

1/2 tasse à café de feuilles de fenouil (lavées, effeuillées ou hachées) (1)
1/2 tasse à café de feuilles de persil plat (lavées et hachées)

Sauce

5 cuillers à soupe d'huile
2 citrons
1 1/2 verre d'eau

Il est possible de se procurer les feuilles de vigne en saumure dans les magasins spécialisés dans la vente des produits de la Méditerranée orientale.

Préparation

Laver les feuilles soigneusement et, si nécessaire, une par une jusqu'à obtention d'une eau claire. Les mettre dans une grande casserole remplie d'eau bouillante. Couvrir et laisser bouillir pendant 25 minutes. Les retourner du

(1) Le fenouil en feuilles ou l'aneth fait fréquemment son apparition sur les marchés français. Il est également possible de se servir d'un fenouil bien feuillu.

rant la cuisson une ou deux fois pour les faire ramollir uniformément. Retirer du feu et laisser les feuilles refroidir dans l'eau bouillante pendant 1 h 30.

En attendant, éplucher, laver et hacher menu les oignons, les mettre dans une grande poêle. Ajouter l'huile, le sucre, le sel, le jus de citron et les faire blanchir pendant 30 minutes d'abord à feu moyen, puis à feu doux, en remuant constamment avec une cuiller en bois. Ne pas les laisser dorer et, si nécessaire, diminuer la flamme.

Retirer du feu, ajouter le riz cru, la menthe, les feuilles de fenouil et de persil. Bien mélanger tous les ingrédients.

Egoutter les feuilles de vigne. Tapisser le fond de la marmite qui servira à la cuisson de quatre à cinq grandes feuilles à grosses nervures.

Prendre une feuille, en enlever la tige, l'étaler sur une surface plate (le bas vers soi) de façon à pouvoir remplir son côté face. Poser au-dessus de l'échancrure de sa base environ 1 1/2 à 2 cuillers à café pleines de farce. Replier la base de manière à recouvrir le rouleau de farce, puis ramener vers le centre les deux extrémités latérales. Finir de rouler en descendant vers la pointe de la feuille afin de donner la forme d'un minuscule baluchon (environ 3 cm sur 6 cm).

Recommencer jusqu'à épuisement des feuilles. Disposer les rouleaux farcis au fur et à mesure dans le récipient, en mettant les plus gros au fond, serrés les uns contre les autres, en deux ou trois couches selon la dimension de la marmite (1).

Ajouter les ingrédients composant la sauce. Compresser les rouleaux avec une assiette et recouvrir le tout avec un couvercle.

Porter à ébullition (environ 5 minutes), et laisser cuire à tout petit feu pendant 45 minutes à 1 heure (selon la qualité des feuilles, la cuisson peut être plus ou moins longue).

Si nécessaire, réduire le jus en prolongeant la cuisson de 10 minutes, à découvert, sans toutefois retirer l'assiette (pour éviter la décoloration des feuilles, on l'y laissera jusqu'à leur refroidissement).

Disposer les rouleaux dans le plat de service et les présenter à table accompagnés de citrons coupés en deux.

Consommer froid ou tiède.

(1) La jointure du rouleau contre le fond de la marmite.

13. *POIVRONS ET TOMATES FARCIS AU RIZ*
Peperuchkas i tomates kon arros

Pour 8 personnes

Temps de préparation : 1 h 30
Temps de cuisson : 1 heure

Ingrédients
2 kg de grosses tomates (10)
750 g de poivrons de taille moyenne (6)

Farce
1 kg d'oignons hachés menu
8 cuillers à soupe d'huile
1/4 de cuiller à café de sucre en poudre
Sel
2 verres de riz cru (trié, lavé et égoutté)
1/2 tasse à café de menthe fraîche (lavée et hachée)
1/2 tasse à café de feuilles de fenouil (lavées et hachées)
1/2 tasse à café de feuilles de persil plat (lavées et hachées)

Sauce
1 cuiller à café de sucre en poudre
Sel
5 cuillers à soupe d'huile
1/2 verre d'eau

Préparation

Préparer la farce selon la recette des *feuilles de vigne farcies* (voir ci-dessus).

Laver les tomates et les poivrons. Couper les poivrons aux trois quarts de leur hauteur (à partir de la base), sans détacher complètement la partie supérieure afin qu'elle puisse servir de couvercle. Enlever les graines, les fibres et les remplir de farce jusqu'à 1 centimètre des bords. Couper les tomates de la même façon en prenant soin d'ôter la queue, les vider entièrement de leur chair et les farcir aux trois quarts de leur hauteur (si les tomates sont remplies à ras bord, la farce risque de déborder en cours de cuisson).

Les disposer dans une grande marmite, leur base en contact avec le fond du récipient, les poivrons au milieu et les tomates tout autour. S'il n'y a pas assez de place, mettre les tomates les unes sur les autres, en deux couches.

Assaisonner avec les ingrédients de la sauce, couvrir et faire cuire à feu doux pendant 1 heure jusqu'à évaporation complète du liquide et cuisson du riz (prolonger la cuisson de 15 minutes si les poivrons ne sont pas tout à fait cuits).

Servir froid.

Note : S'il reste de la farce, on peut la cuire et la consommer à part.

14. *FEUILLES DE CHOU FARCIES AU RIZ*
Yaprakes de kol kon arros

Pour 6 personnes

Temps de préparation : 1 h 30
Temps de cuisson : 1 h 30
(Une vingtaine de rouleaux)

Ingrédients
1 petit chou blanc

Farce
500 g d'oignons hachés tout menu
5 cuillers à soupe d'huile
1/4 de cuiller à café de sucre
Sel
1 citron
1 verre de riz cru (trié, lavé et égoutté)
1/4 de tasse à café de feuilles de fenouil (lavées et hachées)

1/4 de tasse à café de feuilles de persil plat (lavées et hachées)
1/4 de tasse à café de feuilles de menthe fraîche (lavées et hachées), facultatif

Sauce
5 cuillers à soupe d'huile
2 1/2 à 3 citrons (selon le goût)
Sel
1/2 verre d'eau

Préparation

Préparer la farce selon la recette des *feuilles de vigne farcies* (n° 12, p. 22).

Pour la préparation des feuilles, voir la recette des *feuilles de chou farcies à la viande* (n° 126, p. 86).

Tapisser le fond d'une marmite de 2 à 3 feuilles cuites à grosses nervures.

Remplir chaque feuille du chou de 3 cuillers (1) à café de farce bien pleines et former des rouleaux de 9 centimètres sur 5 centimètres environ (2).

Disposer les feuilles farcies dans le fond de la marmite.

Ajouter les ingrédients de la sauce, porter à ébullition (environ 10 minutes) et faire cuire à feu doux (couvert) durant 1 h 30 ou plus jusqu'à absorption du liquide et cuisson de la farce.

Manger froid.

(1) Selon la taille des feuilles, mettre plus ou moins de farce en remplissant les feuilles de taille moyenne d'environ 1 1/2 cuiller à café de farce. Négliger les toutes petites feuilles.
(2) Les feuilles de chou au riz se farcissent et s'enroulent comme les feuilles de chou à la viande (n° 126, p. 86). Cependant, leur taille est légèrement plus grande.

15. *SALADE DE HARICOTS SECS*
   Piyaz

Pour 6 personnes

Temps de préparation : 15 minutes
Temps de cuisson : 2 heures à 2 h 30

Ingrédients

2 verres de haricots blancs secs (mis à tremper dans de l'eau froide pendant 10 h)
Eau
Sel

Assaisonnement

1 poignée de persil plat (lavé et haché)
1 oignon finement émincé selon le procédé décrit dans la recette de la salade de tomates (n° 17, p.27).
5 cuillers à soupe d'huile
9 cuillers à soupe de vinaigre
Sel

Garniture

1 tasse à café d'olives noires
2 tomates en tranches fines
2 œufs durs coupés en barquettes

Préparation

Egoutter les haricots trempés et les mettre dans une casserole contenant une grande quantité d'eau salée (une cuiller à café de sel). Laisser cuire à feu moyen (couvert) jusqu'à cuisson complète (2 heures à 2 h 30). Egoutter et laisser refroidir.

Assaisonner et garnir juste avant de servir froid.

16. *POIVRONS EN SALADE*
   Peperuchkas

Pour 4 personnes

Temps de préparation : 20 minutes

Temps de cuisson : 25 à 35 minutes

Ingrédients

3 poivrons verts ou rouges (environ 500 g)
2 cuillers à soupe de vinaigre
1/4 de cuiller à café de sel
4 gousses d'ail (éventuellement)
Eau

Préparation

Laver les poivrons, leur couper la queue et les mettre entiers dans une casserole. Ajouter le vinaigre, le sel, éventuellement l'ail et couvrir d'eau.

Faire cuire à feu moyen (couvert) à gros bouillons. Retirer les poivrons quand la peau commence à se boursoufler. Laisser refroidir.

A l'aide d'un couteau, enlever la peau, la tête, les pépins et couper les poivrons dans le sens de la longueur en 5 ou 6 tranches chacun.

Servir frais.

17. *SALADE DE TOMATES*
Salata de tomat

Pour 4 personnes

Temps de préparation : 10 minutes

Ingrédients

2 grosses tomates fermes et rouges
1 poignée de persil plat ou à défaut frisé
(lavé et haché)
1 gros oignon violet ou blanc

Sauce

3 cuillers à soupe d'huile
1/2 citron ou 2 cuillers à soupe de vinaigre
Sel

Préparation

Laver les tomates, les couper en deux (dans le sens de la longueur) et chaque moitié en quartiers fins.

Eparpiller le persil sur les tomates.

Eplucher et laver l'oignon. Le couper en deux dans le sens vertical et chaque moitié en demi-lunes très fines. Mettre les lamelles dans une assiette creuse, y verser 1 cuiller à café de sel et 1 tasse à café d'eau. Pétrir l'oignon jusqu'à ramollissement. Laver et essorer en pressant dans la paume de la main (1).

Recouvrir les tomates avec les lamelles d'oignon.

Assaisonner et mélanger avant de servir.

(1) Ce procédé permet de diminuer l'odeur de l'oignon.

18. *SALADE DE TOMATES AUX CONCOMBRES (nature)*
Salata de tomat kon pipino

Pour 4 personnes

Temps de préparation : 5 minutes

Ingrédients

2 grosses tomates bien rouges et fermes
2 concombres, si possible courts et assez gros
(à remplacer éventuellement par 1 concombre ordinaire)
Sel

Préparation

Laver les tomates et les concombres. Couper les tomates en deux (voir ci-dessus), enlever la peau (facultatif), les parties dures du centre et les graines. Couper chaque moitié en tranches fines.

Eplucher les concombres et les couper en quatre dans le sens de la longueur. Si le concombre est grand, diviser chaque quart, en deux ou trois.

Saler et servir.

19. *SALADE PASTORALE*
Salata djoban

Pour 6 personnes

Temps de préparation : 15 minutes

Ingrédients

2 grosses tomates rouges et bien fermes
2 concombres courts
ou à défaut 1 concombre ordinaire
1 poignée de persil (lavé, effeuillé ou haché)
1 gros oignon violet ou blanc finement émincé
1 petit poivron vert coupé en dés

Assaisonnement

4 cuillers à soupe d'huile
1/2 tasse à café de vinaigre
Sel

Garniture

Quelques olives noires
4 filets d'anchois en conserve

Préparation

Laver les tomates, les couper en quatre dans le sens de la longueur. Enlever la partie dure du sommet, les graines et la peau. Couper chaque quart en petits cubes.

Laver, éplucher les concombres et les couper également en cubes.

Mettre le tout dans un saladier en y ajoutant le persil, l'oignon (1) et le poivron.

Assaisonner et garnir avant de servir.

20. *SALADE VERTE*
   Salata vedre
Pour 4 personnes

Temps de préparation : 15 minutes

Ingrédients
1 petite salade verte (de préférence une batavia)

Assaisonnement
3 cuillers à soupe d'huile
1 citron ou 2 cuillers 1/2 à soupe de vinaigre
1 soupçon de sucre (facultatif)
Sel

(1) Préparer l'oignon selon la recette de la *salade de tomates* (n° 17, p. 27).

Préparation

Laver la salade en la débarrassant de ses feuilles flétries. Laisser égoutter, essorer et couper les feuilles en bandes d'environ 1,5 centimètre de largeur.

Battre ensemble tous les ingrédients de la sauce et verser sur la salade. Mélanger et servir.

21. *LAITUE ROMAINE*
   Letchuwa
Pour 6 personnes

Temps de préparation : 15 minutes

Ingrédients
1 belle laitue romaine

Préparation

La laver soigneusement en ôtant les parties abîmées des feuilles. L'égoutter et la présenter entière en feuilles détachées ou coupée en deux dans le sens de la longueur.

La romaine accompagne les différents plats de *mezes*. Elle est toujours présente à table à la période de Pâque, où il est d'usage les deux premiers soirs de cette fête de faire des bouchées avec du harossi (2) et du pain azyme sur une feuille de laitue.

Son trognon épluché et coupé en bâtonnets est particulièrement apprécié.

(2) Voir recette n° 237, p. 170.

22. RADIS ROSES
Ravanikos

Pour 6 personnes

Temps de préparation : 15 minutes

Ingrédients
1 botte de radis

Préparation

Laver soigneusement les radis et gratter les parties abîmées. Les laisser avec leur queue (± 2 cm). Inciser les radis au couteau de manière à leur donner l'aspect d'une tulipe. Les présenter dans un ravier ou en garnir les salades vertes.

23. BETTERAVES EN SALADE
Pandjar rayado

Pour 4 personnes

Temps de préparation : 15 minutes

Ingrédients
2 grosses betteraves crues de préférence (250 g environ)

Assaisonnement
3 cuillers à soupe d'huile
1 citron
Sel

Préparation

Eplucher les betteraves, les laver, les râper, les mettre dans un ravier et les assaisonner.

24. BETTERAVES MARINEES
Pandjar ou *kutchunugurya kon agro*

Pour 8 personnes

Temps de préparation : 15 minutes

Ingrédients
250 g de betteraves cuites
1/4 de cuiller à café de sel
1/2 à 1 verre de vinaigre (selon le goût)

Préparation

Eplucher et laver les betteraves. Les couper en deux dans le sens de la longueur et chaque moitié en tranches fines d'environ 3 millimètres d'épaisseur.
Les mettre dans un bocal en y versant le vinaigre et le sel.
Laisser mariner durant 3 à 4 jours dans le réfrigérateur avant de servir froid.
Les betteraves ainsi préparées ont l'avantage de se conserver longtemps.

25. RADIS NOIR
Ravano rayado

Pour 6 personnes

Temps de préparation : 15 minutes

Ingrédients
1 radis noir de taille moyenne (environ 4 verres de radis râpé)

Assaisonnement
6 cuillers à soupe d'huile
3 citrons
Sel

Préparation

Enlever la peau du radis, le laver, le râper, l'essorer dans la paume de la main.

Assaisonner avant de servir.

26. *SALADE DE CAROTTES*
   Salata de safanorya

Pour 4 personnes

Temps de préparation : 10 minutes

Ingrédients
500 g de carottes

Assaisonnement
5 cuillers à soupe d'huile
1 1/2 citron
Sel

Préparation

Eplucher, laver, râper et assaisonner les carottes.

27. *CHOU-FLEUR EN SALADE*
   Karnabit (ou) *kol i flor kon azete i limon*

Pour 6 personnes

Temps de préparation : 10 minutes
Temps de cuisson : 20 minutes

Ingrédients
1 chou-fleur de taille moyenne

Assaisonnement
6 cuillers à soupe d'huile
2 1/2 citrons
Sel

Préparation

Enlever les feuilles du chou-fleur et le passer rapidement sur la flamme pour éliminer si nécessaire les insectes invisibles à l'œil. Gratter les parties noircies par le feu, couper la partie dure. Découper le chou-fleur en bouquets et le faire cuire pendant 20 minutes dans une casserole remplie d'eau bouillante salée (couvrir). Egoutter et laisser refroidir.

Disposer les bouquets dans un plat et assaisonner avant de servir froid.

Agrémenter éventuellement d'un oignon finement émincé (1) et d'une poignée de persil haché.

28. *SALADE DE CHOU-BLANC*
   Salata de kol blanka

Pour 6 personnes

Temps de préparation : 30 minutes

Ingrédients
1 chou blanc

Assaisonnement
8 cuillers à soupe d'huile
4 citrons
Sel

Préparation

Laisser le chou pendant 2 jours dans un coin de la cuisine pour qu'il ramollisse.

Enlever les feuilles extérieures abîmées. Laver le chou. Détacher chaque

(1) Préparer l'oignon selon la recette n° 17, p. 27.

feuille de sa souche, la rouler sur son axe et la couper en fines lamelles. Arrivé à la partie tendre du cœur, tailler les feuilles en les superposant par deux ou par trois.

Transvaser dans un grand récipient, saupoudrer de sel (2 cuillers à soupe de sel) et pétrir longuement jusqu'à ramollissement des lamelles.

Laver, égoutter et enlever entièrement l'eau du chou (maintenu dans la passoire) en continuant à pétrir et en pressant vigoureusement dans la paume de la main.

Assaisonner et saler selon le goût avant de servir.

29. SALADE DE CHOU ROUGE
Salata de kol kolorada

Pour 6 personnes

Temps de préparation : 30 minutes

Ingrédients
1 chou rouge

Assaisonnement
8 cuillers à soupe d'huile
4 citrons
Sel

Préparation

Se référer à la recette précédente pour cette préparation.

30. SALADE DE POMMES DE TERRE
Salata de patatas

Pour 6 personnes

Temps de préparation : 20 minutes
Temps de cuisson : 30 minutes

Ingrédients
1 kg de pommes de terre moyennes, qui ne se défont pas à la cuisson

Assaisonnement
1 bonne poignée de persil (lavé, effeuillé ou haché)
1 oignon finement émincé selon la recette de la salade de tomates (nº 17, p. 27)
7 cuillers à soupe d'huile
3 1/2 citrons
Sel

Préparation

Laver les pommes de terres et les faire cuire (à couvert) avec leur peau en les recouvrant d'eau. Les égoutter. Laisser refroidir à peine 5 minutes et les éplucher encore toutes chaudes. Couper chaque pomme de terre en quatre ou six morceaux et aussitôt les imprégner de quelques gouttes d'huile.

Garnir avec l'oignon et le persil. Finir d'assaisonner avant de servir tiède.

Les œufs

Uevos

31. *FROMAGE CUIT AUX ŒUFS*
   Kezo kotcho

Pour 2 personnes

Temps de préparation : 5 minutes
Temps de cuisson : 15 minutes

Ingrédients

2 grosses tomates bien rouges
2 cuillers à soupe d'huile
100 g de kachkaval ou de fromage blanc
2 œufs
Sel

Préparation

Râper les tomates. Dans une poêle, les faire revenir à l'huile et au sel pendant environ 8 minutes (feu moyen). Ajouter le fromage coupé en tranches fines (1), casser les œufs par-dessus, couvrir et laisser cuire à feu doux durant 5 à 7 minutes (2).
Servir chaud. Ce plat peut également se préparer sans œufs.

32. *ŒUFS SUR LE PLAT*
   AU FROMAGE
   Uevos al plato kon kezo

Pour 2 personnes

Temps de préparation : 2 minutes
Temps de cuisson : 10 minutes environ

Ingrédients

100 g de kachkaval *coupé en tranches fines*
2 œufs
2 cuillers à soupe d'huile

(1) Ne pas retourner le fromage pendant la cuisson.
(2) Temps nécessaire à la cuisson des œufs.

Préparation

Dans une poêle, faire chauffer l'huile durant 2 minutes environ. Mettre les tranches de fromage et casser les œufs par-dessus. Couvrir et laisser cuire à feu plutôt doux pendant 5 à 7 minutes.
Servir immédiatement.

33. *ŒUFS SUR LE PLAT*
   AU SUDJUK
   Uevos al plato kon sudjuk

Pour 2 personnes

Temps de préparation : 5 minutes
Temps de cuisson : 10 minutes environ

Ingrédients

8 rondelles de sudjuk *(3) d'un centimètre d'épaisseur environ*
2 œufs
2 cuillers à soupe d'huile

Préparation

Faire chauffer l'huile dans une poêle (environ 2 minutes). Faire frire les rondelles de *sudjuk* sur les deux faces. Casser les œufs, couvrir et laisser cuire pendant 5 à 7 minutes (à feu plutôt doux).
Consommer de suite.

(3) Le *sudjuk* est un saucisson fortement épicé que l'on peut se procurer dans les épiceries spécialisées.

34. EPINARDS AUX ŒUFS ET AU SUDJUK
Espinaka kon uevos i sudjuk

Pour 4 personnes

Temps de préparation : 25 minutes
Temps de cuisson : 40 minutes

Ingrédients

1,500 kg d'épinards en branches
6 cuillers à soupe d'huile
2 1/2 citrons
4 tomates râpées ou 2 cuillers à soupe de concentré de tomate plus 1/2 verre d'eau
Sel
4 œufs
12 rondelles de sudjuk *d'environ 1 centimètre d'épaisseur*

Préparation

Cuire les épinards selon la recette des *épinards au riz et au citron* (n° 93, p. 67), sans toutefois ajouter le riz (30 minutes). Transvaser dans une grande poêle. Casser par-dessus les œufs et ajouter les rondelles de *sudjuk*. Couvrir et faire cuire à feu doux pendant 10 minutes.
Servir aussitôt.

35. ŒUFS A LA VIANDE HACHEE
Uevos kon karne pikada

Pour 2 personnes

Temps de préparation : 10 minutes
Temps de cuisson : 30 minutes

Ingrédients

250 g de bœuf haché

2 cuillers à soupe de mie de pain trempée et essorée
1 cuiller à café d'huile
2 œufs
Sel

Sauce

3 tomates râpées
3 cuillers à soupe d'huile
1/4 de verre d'eau
Sel

Préparation

Dans une grande poêle, faire mijoter les tomates râpées à l'eau, à l'huile et au sel, à couvert, pendant 10 minutes.
Pétrir la viande hachée avec la mie de pain, l'huile (1 cuiller à café) et le sel. L'étaler sur tout le fond de la poêle en la mélangeant à la sauce tomate (se servir d'une fourchette). Laisser cuire sans couvrir, ni remuer durant 10 à 15 minutes à feu doux.
Casser les œufs par-dessus et prolonger la cuisson de 7 minutes (à couvert).
Servir aussitôt.

36. OMELETTE AUX POMMES DE TERRE FRITES
Omleta kon patata frita

Pour 2 personnes

Temps de préparation : 10 minutes
Temps de friture : 15 minutes

Ingrédients

4 pommes de terre moyennes
3 œufs battus
Sel
Huile pour la friture

Préparation

Eplucher et laver les pommes de terre. Les couper en quartiers et les frire dans une poêle contenant de l'huile chauffée au préalable (2 minutes environ). Transvaser les frites dans une deuxième poêle (1).

Verser les œufs battus sur les pommes de terre, couvrir et laisser cuire à feu doux. Retourner l'omelette pour faire dorer sa deuxième face.

Saler et consommer tout chaud.

37. *OMELETTE AUX COURGETTES*
Omleta de kalavasa

Pour 4 personnes

Temps de préparation : 20 minutes
Temps de friture : 25 minutes

Ingrédients

2 grosses courgettes (épluchées, lavées et râpées)
2 oignons (épluchés, lavés et râpés)
1 tasse à café de persil (lavé et haché)
3 œufs
Sel
Huile pour la friture

Préparation

Essorer les courgettes et les oignons râpés en les pressant dans la paume de la main. Les mettre dans un grand saladier, ajouter le persil égoutté et les œufs. Battre le tout à la fourchette.

Dans une poêle contenant de l'huile bien chaude, verser des cuillers à soupe

(1) Pour que l'omelette ne soit pas trop grasse (les frites étant déjà saturées d'huile), il est préférable de la faire cuire dans une poêle ne contenant pas de matière grasse.

très pleines de la pâte à beignets. Faire rapidement dorer sur les deux faces.

Saler et servir immédiatement.

38. *OMELETTE A L'OIGNON*
Omleta de sevoya

Pour 2 personnes

Temps de préparation : 5 minutes
Temps de friture : 5 minutes environ

Ingrédients

1 gros oignon (épluché, lavé et râpé)
2 œufs
Sel
Huile pour la friture

Préparation

Battre ensemble les œufs et l'oignon râpé. Faire dorer des deux côtés dans une poêle contenant de l'huile bien chaude.

Saler et servir.

39. *OMELETTE AU FROMAGE*
Omleta kon kezo

Pour 2 personnes

Temps de préparation : 5 minutes
Temps de friture : 5 minutes environ

Ingrédients

4 cuillers à soupe de kachkaval râpé
2 œufs
Sel
Huile pour la friture

Préparation

Battre ensemble les œufs et le fromage. Faire dorer sur les deux faces dans une poêle contenant de l'huile bien chaude.

Saler modérément et consommer aussitôt.

40. *ŒUFS DE PAQUE*
A LA MODE SEPHARADE
Uevos haminados de Pesah

Temps de cuisson : 4 heures

Ingrédients

8 œufs
Eau
Pelures d'oignon
1 cuiller à soupe d'huile
1 cuiller à café de café en poudre
1/2 cuiller à café de poivre noir moulu
1 cuiller à café de sel

Préparation

Mettre les œufs dans une grande casserole remplie d'eau. Ajouter les pe-

lures d'oignons et les autres ingrédients. Couvrir et faire cuire pendant 4 heures ou plus à feu doux (dès ébullition).

Les œufs durs préparés de cette façon prennent une teinte cuivrée et sont servis en entrée avec les *bimuelos* (1), les deux premiers soirs de Pâque. Ils peuvent être consommés chauds ou froids et accompagnent la pâtisserie salée (tapadas, borekas et boyos).

---

(1) Voir recettes nº 215 et 216, p. 154.

Les poissons

Pichkados

POISSONS FRITS
Pichkados fritos

41. *ROUGETS BARBETS FRITS*
Barbunya frita

Pour 2 personnes

Temps de préparation : 10 minutes
Temps de friture : 15 minutes

Ingrédients
500 g de rougets barbets petits ou moyens
1 bol de farine
2 œufs battus
Huile pour la friture
Sel

Préparation

Vider, écailler et laver abondamment les poissons entiers. Les égoutter.

Se servir de deux assiettes. Dans l'une, mettre la farine et dans l'autre, battre les œufs.

Enduire entièrement chaque pièce, d'abord de farine, puis d'œuf battu. Verser de l'huile dans une poêle, la faire chauffer (2 minutes environ), y plonger les poissons enrobés. Pour s'assurer de la température de l'huile, plonger la queue d'un poisson. Celle-ci doit aussitôt être saisie et devenir cassante. Attendre que la face en train de frire durcisse avant de retourner le poisson.

Veiller à ne pas laisser fumer la poêle. Ajouter de l'huile au fur et à mesure de son absorption. Surveiller la flamme (la régler en l'augmentant ou en la baissant selon l'effet que l'on désire obtenir) et faire frire à feu plutôt moyen, de façon à rendre le poisson croustillant à l'extérieur et cuit à point à l'intérieur.

Saler avant de consommer chaud ou tiède.

42. *SARDINES FRITES*
Sadrelas fritas

Pour 2 à 4 personnes

Temps de préparation : 20 minutes
Temps de friture : 15 minutes

Ingrédients
500 g de sardines petites ou moyennes
1 bol de farine
2 œufs battus
Huile pour la friture
Sel
4 citrons

Préparation

Vider, écailler et étêter les sardines. Enlever l'arête centrale avec l'index en commençant, côté queue. Ouvrir le poisson comme un papillon. Laver à grande eau et égoutter.

Coller deux par deux (côté ventre) les sardines ouvertes et les enduire de farine et d'œuf battu. Les frire dans l'huile très chaude et les sortir une fois bien dorées sur les deux faces (se référer à la recette des *rougets barbets frits,* nº 41).

Saler et servir les sardines accompagnées de citrons coupés en deux.

43. *PETITS POISSONS FRITS*
Aterina frita
Pour 2 à 4 personnes

Temps de préparation : 10 minutes
Temps de friture : 15 minutes

Ingrédients
250 g de petits poissons pour friture (anchois ou autres poissons de la longueur d'un doigt)
1/2 verre de farine
1 œuf battu
Huile pour la friture
Sel

Préparation

Vider, écailler et laver abondamment les poissons entiers. Les égoutter.

Les enduire de farine et d'œuf battu. Les faire frire dans l'huile très chaude (pour la friture, se reporter aux explications données dans la recette des *rougets barbets frits,* nº 41, p. 40).

Eventuellement, les faire dorer en les collant par deux, ou par trois (le dos contre le ventre).

Les saler avant de les manger chauds ou tièdes.

44. *MAQUEREAUX FRITS*
Eskumbri frito
Pour 4 personnes

Temps de préparation : 10 minutes
Temps de friture : 15 minutes

Ingrédients
500 g de maquereaux
1 bol de farine
2 œufs battus
Huile pour la friture
Sel

Préparation

Laisser entières les petites pièces et couper par le milieu (dans le sens de la largeur) les pièces plus grandes. Dans les deux cas, garder la tête et la queue.

Vider, laver et égoutter les poissons. Les enduire de farine et d'œufs battus. Les faire dorer des deux côtés dans l'huile très chaude. Pour plus de précisions concernant la friture, lire les indications données dans la recette des *rougets barbets frits* (nº 41, p. 40).

Saler et servir chaud ou tiède.

45. *TURBOT FRIT*
Kalkan frito
Pour 4 personnes

Temps de préparation : 10 minutes
Temps de friture : 20 minutes

Ingrédients
1 turbot d'environ 1 kg
1 bol de farine
2 œufs battus
Huile pour la friture
Sel

Préparation

Faire couper le turbot en tranches d'à peu près 5 cm × 10 cm. Laver et égoutter le poisson. Enduire chaque tranche de farine et d'œuf battu. Faire dorer dans l'huile très chaude (voir les détails se rapportant à la friture dans la recette des *rougets barbets frits,* nº 41, p. 40).

Saler avant de servir chaud ou tiède.

46. *BONITE FRITE*
   Palamida frita

Pour 4 à 6 personnes

Temps de préparation : 10 minutes
Temps de friture : 20 minutes

Ingrédients

1 bonite d'environ 1 kg
1 bol de farine
2 œufs battus
Huile pour la friture
Sel

Préparation

Faire couper la bonite en tranches d'à peu près 1,5 à 2 centimètres d'épaisseur (garder la tête et la queue).

Laver et égoutter le poisson. Enduire

chaque tranche de farine et d'œuf battu. Faire frire dans l'huile très chaude. Voir la recette des *rougets barbets frits* (nº 41, p. 40) pour la friture.

Saler et consommer chaud ou tiède.

47. *BAR FRIT*
   Levrek frito

Pour 4 à 6 personnes

Temps de préparation : 10 minutes
Temps de friture : 20 minutes

Ingrédients

1 kg de filets de bar
1 bol de farine
2 œufs battus
Huile pour la friture
Sel

Préparation

Laver et égoutter les filets de poisson. Les enduire de farine et d'œuf battu. Les faire bien saisir sur les deux faces, en les plongeant dans l'huile très chaude. Procéder pour la friture selon la recette des *rougets barbets frits* (nº 41, p. 40).

POISSONS GRILLES
Pichkados asados

48. *MAQUEREAUX GRILLÉS*
Eskumbri asado

Temps de préparation : 10 minutes
Temps de cuisson : 10 à 15 minutes

Ingrédients
1 maquereau de taille moyenne par personne

Assaisonnement
1 citron par poisson
Sel

Préparation

Vider, laver et égoutter les poissons entiers.

Graisser un gril et le faire chauffer sur le gaz pendant 2 minutes environ.

Faire griller les poissons sur les deux faces, à feu modéré (couvert). Le temps de cuisson des pièces à griller dépend de leur poids ainsi que de leur épaisseur. Compter au moins 5 minutes pour griller à point un côté.

Il est conseillé de se munir d'un gril spécial qui permet de retourner le poisson sans avoir à l'enlever pour faire cuire la deuxième face.

Consommer les maquereaux tout chauds, salés et arrosés de jus de citron.

49. *BONITE GRILLEE*
Palamida asada

Pour 4 personnes

Temps de préparation : 10 minutes
Temps de cuisson : 10 à 15 minutes

Ingrédients
1 bonite d'environ 1 kg

Assaisonnement
1 poignée de persil lavé et haché
1 oignon finement émincé et macéré dans le sel (Voir n° 17).
4 citrons coupés en deux
Huile
Sel

Préparation

Faire vider et couper la bonite en quatre ou six morceaux (d'abord dans le sens de la largeur en deux ou trois tranches, ensuite chaque morceau en deux par le milieu dans le sens de la longueur).

Laver et égoutter le poisson.

Pour faire griller la bonite, se référer aux indications données dans la recette des *maquereaux grillés* (n° 48).

Servir chaud, arrosé d'un filet d'huile,

saupoudré de persil, d'oignon et accompagné de citron.

Saler selon le goût.

50. *ESPADON GRILLE*
   Sifyo asado

Pour 2 personnes

Temps de préparation : 10 minutes
Temps de cuisson : 8 à 10 minutes

Ingrédients

1 tranche d'espadon d'environ 500 g
1 belle tomate rouge et ferme
1 poivron vert (moyen)

Assaisonnement

2 citrons coupés en deux
Sel

Préparation

Faire découper la tranche d'espadon en cubes de 3,5 cm sur 2,5 cm environ.

Débiter la tomate lavée en huit morceaux. Laver le poivron, ôter la queue, le débarrasser des graines et des fibres, le couper en lamelles de 3 cm sur 2 cm environ.

Enfiler les pièces d'espadon sur une brochette en intercalant de quartiers de tomate et de bâtonnets de poivron.

Faire griller toutes les faces sur un feu de charbon de bois ou dans un four allumé à la position gril.

Consommer tout chaud en arrosant de jus de citron.

POISSONS A LA SAUCE TOMATE
Pichkados kon salsa de tomat

51. *ROUGETS BARBETS*
   A LA SAUCE TOMATE
   Barbunya kon salsa de tomat

Pour 4 personnes

Temps de préparation : 15 minutes
Temps de cuisson : 30 minutes environ.

Ingrédients

500 g de rougets barbets petits ou moyens

Sauce

3 tomates râpées
1 poignée de persil lavé et haché
1 verre d'eau
3 cuillers à soupe d'huile
1 1/2 à 2 citrons (selon le goût)

Préparation

Vider, écailler, laver et égoutter les poissons entiers.

Verser dans le récipient de cuisson, la sauce tomate, l'huile et l'eau. Saler et laisser mijoter durant 10 minutes à feu doux. Ajouter le jus de citron, le persil et prolonger la cuisson de 5 à 8 minutes.

Plonger les poissons dans la sauce et les faire pocher à petit feu pendant 15 à 20 minutes en les retournant à mi-temps de cuisson (à découvert). Ou bien, les faire cuire à couvert pour éviter de les manipuler pendant la cuisson. Si nécessaire, allonger la sauce avec un filet d'eau.

Servir chaud ou tiède.

52. SARDINES
   A LA SAUCE TOMATE
   Sadrelas kon perichil i tomat

Pour 4 personnes

Temps de préparation : 25 minutes
Temps de cuisson : 30 minutes environ

Ingrédients

500 g de sardines petites ou moyennes

Sauce

5 tomates râpées ou 2 cuillers à soupe de concentré de tomate délayées dans 1/2 verre d'eau
1 tasse à café de persil lavé et haché
1 verre d'eau
2 cuillers à soupe d'huile
2 citrons
Sel

Préparation

   Voir la recette des *sardines frites* (n° 42, p. 40) pour la préparation des poissons. Les apprêter ensuite selon les indications de la recette précédente (*rougets barbets à la sauce tomate*, n° 51, p. 44).

53. MAQUEREAUX
   A LA SAUCE TOMATE
   Eskumbri kon salsa de tomat

Pour 4 personnes

Temps de préparation : 15 minutes
Temps de cuisson : 30 minutes environ

Ingrédients

500 g de maquereaux de petite taille

Sauce

3 tomates râpées ou 1 1/2 cuiller à soupe de concentré de tomate délayée dans 2 verres d'eau
1 poignée de persil lavé et haché
1 verre d'eau
2 cuillers à soupe d'huile
1 1/2 à 2 citrons (selon le goût)
Sel

Préparation

   Vider, laver et égoutter les poissons. Les laisser entiers ou les couper en deux dans le sens de la largeur, s'ils sont grands.
   Voir la recette des *rougets barbets à la sauce tomate* pour la préparation de la sauce et la cuisson des poissons (n° 51, p. 44).

54. TURBOT A LA SAUCE TOMATE
   Kalkan kon salsa de tomat

Pour 4 à 6 personnes

Temps de préparation : 15 minutes
Temps de cuisson : 30 minutes environ

Ingrédients

1 turbot d'environ 1 kg coupé en tranches de 5 centimètres sur 10 centimètres

Sauce

5 tomates râpées ou 2 cuillers à soupe de concentré de tomate délayé dans 1 verre 1/2 d'eau
1 poignée de persil lavé et haché
1 1/2 verre d'eau
3 1/2 cuillers à soupe d'huile
2 1/2 à 3 citrons (selon le goût)
Sel

Préparation

Laver et égoutter les tranches de turbot.

Préparer la sauce selon la recette des *rougets barbets à la sauce tomate* (n° 51, p. 44). Laisser pocher le poisson à couvert, durant 15 à 20 minutes (à petit feu).

Servir chaud ou tiède.

55. *BONITE A LA SAUCE TOMATE*
Palamida kon salsa de tomat
Pour 6 personnes

Temps de préparation : 15 minutes
Temps de cuisson : 30 minutes environ

Ingrédients
1 bonite d'environ 1 kg, coupée en tranches de 2 centimètres d'épaisseur (garder la tête et la queue)

Sauce
5 tomates râpées ou 2 1/2 cuillers à soupe de concentré de tomate délayées dans 2 verres d'eau
1 poignée de persil lavé et haché
1 verre d'eau
3 1/2 cuillers à soupe d'huile
2 1/2 à 3 citrons (selon le goût)
Sel

Préparation

Voir la recette des *rougets barbets à la sauce tomate* (n° 51, p. 44) et préparer la bonite de la même façon.

56. *MULET A LA SAUCE TOMATE*
Kefal kon salsa de tomat
Pour 6 personnes

Temps de préparation : 15 minutes
Temps de cuisson : 30 minutes environ

Ingrédients
1 kg de mulet, coupé en tranches d'environ 2 centimètres d'épaisseur (garder la tête et la queue)

Sauce
5 tomates râpées ou 2 cuillers à soupe de concentré de tomate délayées dans 1/2 verre d'eau
1 poignée de persil lavé et haché
1 verre d'eau
3 1/2 cuillers à soupe d'huile
2 1/2 à 3 citrons (selon le goût)
Sel

Préparation

Suivre les indications données dans la recette des *rougets barbets à la sauce tomate* (n° 51, p. 44) pour cette préparation.

POISSONS CUITS A L'ETOUFFEE
Pichkados abafados

57. *ROUGETS BARBETS
A L'ETOUFFEE*
Barbunya abafada

Pour 4 personnes

Temps de préparation : 10 minutes
Temps de cuisson : 20 minutes

Ingrédients

500 g de rougets barbets petits ou moyens

Sauce

1/2 verre d'eau
2 cuillers à soupe d'huile
1 1/2 à 2 citrons (selon le goût)
Sel

Préparation

Vider, laver et égoutter les rougets barbets entiers. Porter à ébullition les ingrédients composant la sauce, y ajouter les poissons et les faire cuire durant 20 minutes à petit feu (à couvert). Si nécessaire, ajouter un filet d'eau.

Les servir chauds ou tièdes.

58. *SARDINES A L'ETOUFFEE*
Sadrelas abafadas

Pour 4 personnes

Temps de préparation : 20 minutes
Temps de cuisson : 20 minutes

Ingrédients

500 g de sardines petites ou moyennes

Sauce

1/2 verre d'eau
2 cuillers à soupe d'huile
1 1/2 à 2 citrons (selon le goût)
Sel

Préparation

Nettoyer et préparer les sardines comme dans la recette des *sardines frites* (n° 42, p. 40).

Pour la suite de la préparation, voir la recette précédente (*rougets barbets à l'étouffée,* n° 57).

59. *MAQUEREAUX
A L'ETOUFFEE*
Eskumbri abafado

Pour 4 personnes

Temps de préparation : 10 minutes
Temps de cuisson : 20 minutes

Ingrédients

500 g de maquereaux vidés, lavés et égouttés (les laisser entiers s'ils sont petits, sinon les couper par le milieu dans le sens de la largeur)

Sauce

1/2 verre d'eau
2 cuillers à soupe d'huile
1 1/2 à 2 citrons (selon le goût)
Sel

Préparation

Suivre les indications données dans la recette des *rougets barbets à l'étouffée* (n° 57, p. 47), en faisant cuire les poissons à découvert (les retourner à mi-temps de cuisson).
Servir chaud.

60. *TURBOT A L'ETOUFFEE*
   Kalkan abafado
Pour 4 à 6 personnes

Temps de préparation : 10 minutes
Temps de cuisson : 20 minutes

Ingrédients

1 turbot d'environ 1 kg, coupé en tranches de 5 centimètres sur 10 centimètres

Sauce

3/4 de verre d'eau
3 1/2 cuillers à soupe d'huile
2 1/2 à 3 citrons (selon le goût)
1 poignée de persil lavé et haché (facultatif)
Sel

Préparation

Préparer le turbot selon la recette des *rougets barbets à l'étouffée* (n° 57, p. 47).
Servir chaud.

61. *BONITE A L'ETOUFFEE*
   Palamida abafada

Pour 6 personnes

Temps de préparation : 10 minutes
Temps de cuisson : 20 minutes

Ingrédients

1 bonite d'un kilo, coupée en tranches de 1,5 cm d'épaisseur (garder la tête et la queue)

Sauce

3/4 de verre d'eau
3 1/2 cuillers à soupe d'huile
2 1/2 à 3 citrons (selon le goût)
Sel

Préparation

Voir la recette des *rougets barbets à l'étouffée* (n° 57, p. 47) et préparer la bonite de la même façon.

62. *ESPADON A L'ETOUFFEE*
   Sifyo abafado

Pour 2 à 4 personnes

Temps de préparation : 10 minutes
Temps de cuisson : 20 minutes

Ingrédients

1 tranche d'espadon de 2 centimètres d'épaisseur (environ 500 g)

Sauce

1/2 verre d'eau
2 cuillers à soupe d'huile
1 1/2 à 2 citrons (selon le goût)
Sel

Préparation

Procéder comme pour les *rougets barbets à l'étouffée* (n° 57, p. 47).

63. *BAR A L'ETOUFFÉE*
   Levrek abafado

Pour 4 personnes

Temps de préparation : 10 minutes
Temps de cuisson : 20 minutes

Ingrédients
500 g de filets de bar

Sauce

1/2 verre d'eau
2 cuillers à soupe d'huile
1 1/2 à 2 citrons (selon le goût)
Sel

Préparation

Suivre les indications de la recette des *rougets barbets à l'étouffée* (n° 57, p. 47).
Manger chaud.

64. *POISSONS A LA SAUCE AIGRE*
   Pichkados kon agristada
   (ou) *kon uevo i limon*

Pour 4 personnes

Temps de préparation : 15 minutes
Temps de cuisson : 30 minutes

Ingrédients
500 à 800 g de poisson

Sauce

3 à 3 1/2 cuillers à soupe d'huile
2 à 2 1/2 citrons
3/4 de verre d'eau
Sel
2 œufs battus dans 3 cuillers à soupe de jus de citron et
5 cuillers à soupe de la sauce de cuisson

Préparation

Cette sauce est préparée pour accommoder les maquereaux (laissés entiers ou coupés en deux dans le sens de la largeur), le mulet et l'espadon coupés en tranches de 2 centimètres d'épaisseur et le bar en filets. Elle peut également s'adapter à d'autres poissons, tels que les truites ou le colinot.

Vider, écailler, laver et égoutter le poisson choisi. Le faire cuire à feu doux, à couvert, en ajoutant l'huile, le jus de citron, l'eau et le sel (20 minutes).

Enlever à l'aide d'une écumoire le poisson et le disposer dans le plat de service. Pendant ce temps, laisser mijoter le bouillon en réduisant le feu au plus bas.

Incorporer dans le bouillon les œufs battus dans le jus de citron et la sauce de cuisson (progressivement et tout en tournant continuellement jusqu'à épais-sissement − le faire à tout petit feu durant environ 4 à 7 minutes).

Verser la sauce ainsi apprêtée sur le poisson. Laisser refroidir avant de servir.

65. *POISSONS*
AUX PRUNES AIGRES-DOUCES
Pichkados kon avramila

Pour 4 personnes

Temps de préparation : 30 minutes
Temps de cuisson : 25 à 30 minutes

Ingrédients
500 g à 750 g de poisson

Sauce
500 à 750 g de prunes golden (de couleur jaune clair)
1 à 2 1/2 citrons (selon le goût)
3 1/2 cuillers à soupe d'huile
1/2 cuiller à café de sucre en poudre (plus ou moins selon le goût)
Sel

Préparation

Cette sauce est spécialement réservée à la *gaya*, poisson qui n'a pas son équivalent en France et à l'espadon coupé en tranches de 2 centimètres d'épaisseur. Elle convient aussi aux truites et soles (entières) et colinot (entier ou coupé en tranches de 2 centimètres d'épaisseur).

Les prunes golden font leur appari-tion vers la fin du mois de juin. Elles proviennent d'Espagne et de Provence.

Leur saison est de courte durée. Elles donnent une sauce au goût acidulé.

Laver les prunes, les mettre dans une casserole, les couvrir d'eau et les faire cuire, à couvert, pendant 20 minutes. Les égoutter et les laisser refroidir dans la passoire (25 minutes environ).

Mettre directement sous la passoire le récipient de cuisson. Presser les prunes pour extraire le jus (pétrir les prunes entre les paumes des mains et les écraser contre la paroi de la passoire). Les peaux et les noyaux restent dans la passoire et le jus est recueilli.

Ajouter au jus des prunes les autres ingrédients de la sauce. Faire cuire (à couvert) à petit feu durant 10 minutes (à partir de l'ébullition). Si nécessaire, allonger la sauce avec un filet d'eau chaude. Y faire pocher le poisson pendant 15 à 20 minutes (à couvert et à petit feu).

Manger tiède ou froid.

66. *POISSONS*
AUX RAISINS ACIDES (au verjus)
Pichkados kon agras

Pour 4 personnes

Temps de préparation : 25 minutes
Temps de cuisson : 20 minutes

Ingrédients
500 g de poisson (des sardines(1) ou du mulet coupé en tranches de 2 centimètres d'épaisseur)

(1) Préparer les sardines selon la recette des *sardines frites* (n° 42, p. 40).

Sauce

650 g de raisins verts acides
3 cuillers à soupe d'huile
1/4 de cuiller à café de sucre en poudre
(plus ou moins selon le goût)
Sel

Préparation

Les raisins acides qui n'ont pas eu le temps de mûrir ne se trouvent pas facilement dans le commerce. Toutefois, on peut les cueillir dans une vigne. Goûter le grain et veiller à ce qu'il soit acide. Négliger les grappes opaques et choisir celles qui sont translucides.

Laver les raisins, les mettre dans une casserole, les couvrir d'eau et les faire bouillir durant 10 minutes, dès ébullition. Egoutter les grains et les laisser refroidir pendant 15 minutes (dans la passoire).

Mettre sous la passoire le récipient de cuisson. Presser le raisin entre les paumes des mains et recueillir le jus (1).

Ajouter au jus les autres ingrédients composant la sauce. Faire cuire à tout petit feu, pendant 5 minutes dès ébullition.

Faire pocher le poisson durant 20 minutes à couvert et à petit feu.

Manger chaud ou tiède.

(1) Les peaux et les pépins restent dans la passoire.

67. *POISSONS A LA SAUCE MI-CITRON, MI-ORANGE*
Pichkados a la chaka

Pour 4 personnes

Temps de préparation : 10 minutes
Temps de cuisson : 25 minutes

Ingrédients

500 g à 800 g de poisson
3 cuillers à soupe d'huile
2 citrons
1 orange
Sel
2 œufs battus dans 3 cuillers à soupe de jus de citron et 5 cuillers à soupe de la sauce de cuisson

Préparation

Préparer cette sauce selon la recette des *poissons à la sauce aigre* (n° 64, p. 49) et en accommoder les maquereaux (entiers ou coupés en deux dans le sens de la largeur), le mulet et l'espadon coupés en tranches, les truites ou le colinot (entiers ou en tranches) et le bar en filets.

Consommer froid ou tiède.

68. *MAQUEREAUX AUX OIGNONS*
Yahni de eskumbri

Pour 4 personnes

Temps de préparation : 15 minutes
Temps de cuisson : 1 h 10.

Ingrédients

500 g de maquereaux (entiers ou coupés par le milieu dans le sens de la largeur, selon leur taille)

Sauce

3 oignons émincés en fine lamelles
4 cuillers à soupe d'huile
1 citron
1/2 verre d'eau
1 tasse à café de persil (lavé et haché)
Sel

Préparation

Dans le récipient de cuisson, faire blanchir les oignons à l'huile et à l'eau durant 5 minutes (à tout petit feu).

Couvrir et laisser mijoter pendant 25 minutes environ (tourner de temps en temps avec une cuiller). Si nécessaire, allonger avec un filet d'eau chaude.

Ajouter le poisson, arroser de citron, saupoudrer de persil, saler et prolonger la cuisson (à feu très bas) jusqu'à réduction complète de la sauce (45 à 50 minutes).

Faire cuire dès le début à feu très doux et retirer du feu, une fois les oignons bien cuits.

Servir chaud.

POISSONS AU FOUR
Pichkados al orno

69. *MAQUEREAUX AU FOUR*
   Eskumbri al orno

Pour 4 personnes

Temps de préparation : 10 minutes
Temps de cuisson : 20 à 25 minutes

Ingrédients

500 g de maquereaux (entiers ou coupés par le milieu et ce selon leur taille)

Sauce

3 tomates râpées
1 poignée de persil (lavé et haché)
1 à 2 citrons (selon le goût)
2 1/2 cuillers à soupe d'huile
Sel

Préparation

Disposer le poisson vidé et lavé dans un plat destiné au four. Verser par-dessus les différents ingrédients compo-

sant la sauce (en imprégner les faces de chaque poisson).

Mettre à cuire à four chaud durant 20 à 25 minutes. Si nécessaire, ajouter un filet d'eau chaude en cours de cuisson.

Consommer chaud.

70. BONITE AU FOUR
Palamida al orno

Pour 6 personnes

Temps de préparation : 15 minutes
Temps de cuisson : 20 à 25 minutes

Ingrédients

1 bonite d'environ 1 kg (coupée en tranches de 2 centimètres d'épaisseur) avec tête et queue

Sauce

1 oignon émincé en fines lamelles
3 tomates coupées en tranches fines
1 bonne poignée de persil (lavé et haché)
1 petit poivron coupé en dés
2 1/2 citrons
4 cuillers à soupe d'huile
3 tomates râpées ou 1 1/2 cuiller à soupe de concentré de tomate délayé dans 1/4 de verre d'eau
1/2 verre d'eau
Sel

Préparation

Tapisser le fond d'un plat destiné au four, d'une couche d'oignon finement émincé. Disposer les tranches de poisson lavées. Couvrir toute la surface de trois tomates coupées en fines tranches, parsemer de persil haché et de poivron coupé en dés. Saler, arroser ·d'huile, de jus de citron, de tomates râpées et d'eau.

Faire cuire à four chaud durant environ 20 à 25 minutes. Si nécessaire, allonger la sauce en cours de cuisson.

Servir chaud.

71. MULET AU FOUR
Kefal al orno

Pour 4 personnes

Temps de préparation : 10 minutes

Temps de cuisson : 20 à 25 minutes.

Ingrédients

500 g de mulet coupé en tranches de 2 centimètres d'épaisseur (avec tête et queue)

Sauce

3 tomates râpées
1 poignée de persil (lavé et haché)
2 citrons
2 1/2 cuillers à soupe d'huile
1/4 de verre d'eau
Sel

Préparation

Voir la recette des *maquereaux au four* (n° 69, p. 52).

Manger chaud.

72. BAR AU FOUR
Levrek al orno

Pour 4 personnes

Temps de préparation : 10 minutes
Temps de cuisson : 20 à 25 minutes

Ingrédients

500 g de filets de bar

Sauce

3 tomates râpées
1/2 tasse à café de persil (lavé et haché)
2 citrons
2 1/2 cuillers à soupe d'huile
Sel

Préparation

Procéder et servir selon la recette des *maquereaux au four* (n° 69, p. 52).

73. *ESPADON AU FOUR*
Sifyo al orno

Pour 6 personnes

Temps de préparation : 15 minutes
Temps de cuisson : 20 à 25 minutes

Ingrédients
2 tranches d'espadon d'environ 2 centimètres
d'épaisseur (environ 1 kg)

Sauce
4 tomates râpées
1 bonne poignée de persil (lavé et haché)
2 1/2 citrons
4 cuillers à soupe d'huile
Sel

Préparation

Voir la recette des *maquereaux au
four* (n° 69, p. 52).
Servir chaud.

74. *POISSONS A LA MAYONNAISE*
Pichkados kon mayoneza

Pour 6 personnes

Temps de préparation : 40 minutes
Temps de cuisson : 25 minutes environ

Ingrédients
1 bar ou 1 mulet d'environ 1,500 kg
Eau
Sel
1 cuiller à café de citron

Mayonnaise
1 œuf
1 cuiller à café de moutarde
1 à 2 citrons
1 à 2 verres d'huile
Sel
Poivre

Décoration

*Quelques rondelles de carottes en saumure,
quelques feuilles de persil (facultatif)*

Préparation

Préparer la mayonnaise au mixer en
travaillant ensemble, d'abord l'œuf, la
moutarde, le jus d'un demi-citron et 1/4
de verre d'huile (saler et poivrer).
Ajouter ensuite le restant de jus de
citron et d'huile progressivement (lorsque l'émulsion est terminée). Garder au
réfrigérateur.

Vider, écailler, laver et égoutter le
poisson entier.

Le faire cuire en le recouvrant d'eau
salée pendant 25 minutes environ (à
couvert, à petit feu). Retirer le poisson
entièrement cuit de l'eau de cuisson et le
laisser refroidir.

En ôter soigneusement la peau.
Enlever les arêtes en écartant le poisson
du côté ventre ou en incisant le milieu
d'une de ses faces dans toute sa
longueur.

Recueillir la chair dans le plat de
service et la pétrir avec du sel et
1 cuiller à café de jus de citron.
Reconstituer la forme du poisson en
replaçant la tête et la queue. Recouvrir
toute sa surface de mayonnaise (généreusement).

Décorer avec du persil et quelques
rondelles de carotte en saumure et servir
froid.

Les soupes

Supas

75. *SOUPE A LA VIANDE ET AUX LEGUMES*
Supa de puli

Pour 6 personnes

Temps de préparation : 25 minutes
Temps de cuisson : 2 h 30.

Ingrédients

620 g de jarret de bœuf coupé en morceaux
1 petit tronçon d'os à moelle
2 1/2 litres d'eau
4 pommes de terre
6 carottes
1 botte de persil
2 oignons entiers
1/2 pied de céleri en branches
2 cuillers à café de concentré de tomate délayées dans 1 verre d'eau
1 tasse à café de riz cru (trié, lavé et égoutté)
Sel
1 bonne noix de margarine
3 citrons

Préparation

Faire cuire la viande pendant 1 h 30 dans un litre d'eau salée (à couvert).

En attendant, éplucher et laver les légumes. Couper les carottes en rondelles (1 cm d'épaisseur environ), le céleri en bâtonnets (5 centimètres de longueur environ) et ficeler la botte de persil.

Ajouter les légumes et les autres ingrédients à la viande, en allongeant son bouillon d'un litre et demi d'eau chaude. Jeter le riz en pluie, en dernier.

Couvrir et prolonger la cuisson durant 1 heure.

Servir en enlevant la botte de persil et en y faisant fondre une bonne noix de margarine.

Arroser d'un filet de citron avant de manger bien chaud.

76. *SOUPE AU VERMICELLE*
Supa de fideyos

Pour 2 à 4 personnes

Temps de préparation : 5 minutes
Temps de cuisson : 7 minutes environ

Ingrédients

2 verres d'eau
4 verres de bouillon de poulet
1/2 verre de vermicelle (cheveux d'ange)
Sel
1 à 2 citrons

Préparation

Dans une casserole, mélanger et porter à ébullition l'eau et la sauce de poulet (saler). Y jeter aussitôt en pluie, le vermicelle et faire bouillir durant environ 5 minutes en tournant de temps en temps avec une cuiller (feu moyen).

Servir bien chaud et consommer arrosé d'un filet de citron.

77. *SOUPE AUX LENTILLES ROUGES*
Supa de lenteja kolorada

Pour 4 personnes

Temps de préparation : 10 minutes
Temps de cuisson : 30 minutes

Ingrédients

2 verres de lentilles rouges
6 verres d'eau
1 oignon de taille moyenne (entier)
1 verre de bouillon de poulet
2 tomates râpées ou 1 cuiller à soupe de concentré de tomate
Sel
100 g de margarine (2 bonnes cuillers à soupe environ)

Préparation

Trier, laver et égoutter les lentilles. Les faire cuire à couvert dans de l'eau salée froide en y mettant l'oignon épluché et lavé (à grand feu pendant 20 minutes).

Retirer du feu, ajouter le jus de poulet, les tomates râpées et la margarine. Couvrir et laisser cuire à feu moyen durant 10 minutes.

Enlever l'oignon avant de servir.

78. SOUPE DE TOMATE
Supa de tomat
Pour 4 personnes

Temps de préparation : 15 minutes
Temps de cuisson : 25 minutes

Ingrédients
1 kg de tomates bien rouges
2 verres d'eau
Sel

Sauce béchamel
1/4 de paquet de margarine (62,5 g environ)
1 1/2 cuiller à soupe bien pleine de farine
1 1/2 verre de lait

Préparation

Laver les tomates et les râper en commençant par leur base afin d'en recueillir le jus.

Transvaser dans une casserole et faire bouillir (couvercle posé) en ajoutant l'eau. Saler. Attendre que la tomate se transforme en sauce (20 minutes environ à feu moyen).

Préparer la sauce béchamel en faisant fondre ensemble, à tout petit feu la margarine et la farine en tournant avec une cuiller (environ 4 minutes). Ajouter le lait progressivement et continuer à remuer avec une cuiller jusqu'à épaississement (10 à 15 minutes environ à petit feu).

Verser (hors du feu) la sauce béchamel dans la soupe et bien mélanger (faire éventuellement disparaître les grumeaux à l'aide d'un fouet).

Faire cuire à nouveau durant environ 10 minutes (à tout petit feu) avant de servir.

79. SOUPE DE PIEDS DE MOUTON
Supa de patchas de kodrero
Pour 4 personnes

Temps de préparation : 40 minutes
Temps de cuisson : 1 h 30

Ingrédients
6 pieds d'agneau ou de mouton (750 g environ)
8 verres d'eau
5 tomates râpées
1 cuiller à soupe de concentré de tomate
1 à 2 cuillers à soupe d'huile
5 pommes de terre
Sel

Assaisonnement
2 citrons coupés en deux

Préparation

Passer chaque pied sur une flamme et brûler le duvet. Enlever les poils et les parties sales (racler au couteau ou se servir d'une râpe).

Laver et disposer les pieds dans une grande marmite. Ajouter les tomates râpées, le concentré de tomate dilué dans un peu d'eau, l'huile, le sel, et couvrir d'eau. Faire cuire durant 1 h 30 à feu moyen (couvert). Mettre les pommes de terre (épluchées, lavées et coupées en quatre) 30 minutes, avant la fin de cuisson.

Consommer chaud en arrosant avec un filet de citron.

80. *SOUPE AU PAIN AZYME*
Sodrika

Pour 4 personnes

Temps de préparation : 10 minutes
Temps de cuisson : 12 minutes

Ingrédients
8 verres de jus de poulet ou de viande
3 carrés de pain azyme
3 œufs battus

Préparation

Porter le jus à ébullition, y ajouter les carrés de pain azyme coupés en morceaux. Faire cuire pendant 10 minutes à feu moyen (sans couvrir). Trois minutes avant la fin de cuisson, réduire la flamme à son minimum et incorporer dans la soupe les trois œufs battus en tournant continuellement durant 4 minutes environ jusqu'à léger épaississement du liquide.

VARIANTE

Ingrédients
8 verres de jus de poulet ou de viande
4 cuillers à soupe de semoule de pain azyme
délayées dans 2 verres d'eau froide
3 œufs battus

Préparation

Ajouter au bouillon porté à ébullition la semoule délayée en remuant continuellement avec une cuiller, durant 10 minutes (feu doux). Baisser la flamme au plus bas et incorporer dans la soupe, les trois œufs battus jusqu'à épaississement du liquide (4 minutes environ).

Les légumes

Legumbres

LEGUMES SANS VIANDE
Legumbres sin karne

La réussite d'un plat de légumes dépend essentiellement de la fraîcheur et de la qualité des produits employés. La relative simplicité des préparations fait d'autant plus ressortir leur saveur originelle. D'où l'importance de leur choix afin de conserver leur goût primitif qu'aucune élaboration trop savante ne doit travestir.

Les temps de cuisson des légumes peuvent varier en fonction de leur tendreté. Il est donc important de vérifier leur cuisson avant de les retirer du feu.

Voici quelques principes à retenir pour la préparation des légumes :

Faire cuire jusqu'à ébullition (5 à 10 minutes) à feu plutôt vif, ensuite diminuer la flamme. D'une manière générale, veiller à cuire les légumes à feu moyen ou modéré.

Pendant la cuisson, surveiller le niveau du liquide et si nécessaire, ajouter de l'eau chaude (1/2 à 1 verre ou plus selon les cas).

Ne pas oublier de mélanger les légumes pendant qu'ils mijotent, sauf indication contraire.

Faire cuire les légumes en recouvrant avec le couvercle et, éventuellement, le laisser légèrement entrebâillé afin de faciliter l'évaporation. Découvrir en fin de cuisson pour réduire la sauce.

Goûter et corriger l'assaisonnement.

La sauce tomate entre dans la composition de nombreux plats. Utiliser de préférence des tomates fraîches. Le procédé suivant permet d'en recueillir le jus très rapidement : râper (1) les tomates en commençant par leur base. La peau se détache d'elle-même et reste dans les mains.

Il est possible de remplacer les tomates fraîches par du concentré de tomate ou des tomates pelées en conserve.

(1) Employer une râpe ordinaire.

81. *POIREAUX AUX POMMES DE TERRE ET AUX CAROTTES*
Prasa kotcha

Pour 4 personnes

Temps de préparation : 20 minutes
Temps de cuisson : 1 heure

Ingrédients

1 kg de poireaux
4 pommes de terre qui ne s'écrasent pas à la cuisson
2 à 3 carottes

Sauce

4 cuillers à soupe d'huile
1 1/2 citron
1/2 verre d'eau
Sel

Préparation

Eplucher les pommes de terre et les carottes.

Enlever les feuilles jaunies et les racines des poireaux. Laver tous les légumes. Couper les pommes de terre en quatre, les poireaux et les carottes respectivement en rondelles de 2 centimètres et 1 centimètre d'épaisseur.

Mettre tous les légumes dans une casserole. Ajouter l'huile, le citron et l'eau. Saler. Laisser cuire à feu doux,

couvert, pendant 1 heure. Si nécessaire, prolonger la cuisson en veillant au niveau du liquide. Réduire la sauce.

Ce plat se mange chaud ou froid.

82. *QUARTIERS DE COURGETTES*
Kuartos de kalavasa

Pour 6 personnes

Temps de préparation : 20 minutes
Temps de cuisson : 1 h 15.

Ingrédients

1,250 kg de courgettes
1 tasse à café de riz cru (trié, lavé et égoutté)

Sauce

4 tomates râpées
1 cuiller à café très pleine de concentré de tomate délayée dans 1 verre d'eau (1)
4 cuillers à soupe d'huile
2 cuillers à soupe rases de sucre en poudre
Sel

Préparation

Eplucher les courgettes en enlevant la peau ainsi que les extrémités. Laver et couper les courgettes en quatre dans le sens de la longueur et chaque quart en trois ou quatre tronçons d'environ 3,5 à 4 centimètres.

Les mettre dans une casserole. Ajouter l'huile, la sauce tomate, le sel et le sucre. Couvrir et faire cuire à feu moyen

(1) A défaut de tomates fraîches ou de conserve, mettre 1 1/2 cuiller à soupe bien pleine de concentré de tomate délayée dans 2 verres d'eau.

pendant 50 minutes. Jeter le riz en pluie, baisser la flamme et prolonger la cuisson à couvert durant 25 minutes (temps nécessaire à la cuisson du riz).

Une fois le riz ajouté, ne plus remuer les légumes. Veiller à ce que le fond n'attache pas et si nécessaire, ajouter 1 verre ou plus d'eau chaude en cours de cuisson.

Manger chaud.

82. *PEAU DE COURGETTES AU CITRON*
Kachkarikas de kalavasa

Pour 4 personnes

Temps de préparation : 20 minutes
Temps de cuisson : 1 heure

Ingrédients
Peau de courgettes (1,500 kg)

Sauce
3 cuillers à soupe d'huile
1 1/2 citron
3 verres d'eau
Sel

Préparation

Laver les courgettes. Oter les extrémités et éplucher les courgettes dans le sens de la longueur de manière à laisser suffisamment de chair collée à la peau.

Couper les bandes de peau en carrés d'environ 2 centimètres de côté. Les laver et les égoutter. Les mettre dans une casserole en ajoutant tous les ingrédients composant la sauce. Couvrir et faire cuire jusqu'à ébullition à grand feu (5 minutes environ), mélanger, bais-

ser la flamme et cuire à feu plutôt moyen pendant 1 heure. Réduire la sauce (si nécessaire, ajouter de l'eau en cours de cuisson).

Servir froid ou tiède.

83. *PEAU DE COURGETTES A L'AIL ET AU POIVRE*
Kachkarikas de kalavasa kon ajo i pimyenta

Pour 4 personnes

Temps de préparation : 25 minutes
Temps de cuisson : 1 heure

Ingrédients
Peau de courgettes (1,500 kg)

Sauce
Les gousses de 2 têtes d'ail (épluchées et lavées)
3 cuillers à soupe d'huile
3 verres d'eau
1/2 cuiller à café de poivre moulu
1/4 de cuiller à café de sucre en poudre
Sel

Préparation

Voir la recette précédente pour éplucher les courgettes. Mettre les carrés de peau dans une casserole avec tous les ingrédients composant la sauce.

Faire cuire à feu moyen, couvert, pendant 1 heure environ. Réduire la sauce.

Consommer tiède ou froid.

84. *PEAU DE COURGETTES AUX PRUNES AIGRES-DOUCES*
Kachkarikas de kalavasa kon avramila

Pour 4 personnes

Temps de préparation : 1 heure
Temps de cuisson : 1 heure

Ingrédients
Peau de courgettes (1,500 kg)

Sauce
750 g de prunes golden (1)
3 1/2 cuillers à soupe d'huile
1 à 2 citrons (selon le goût)
1 verre d'eau
1/2 cuiller à café de sucre en poudre
Sel

Préparation

Eplucher les courgettes selon la recette de la *peau de courgettes au citron* (n° 82, p. 62).

Extraire le jus des prunes selon la recette des *poissons aux prunes aigres-douces* (n° 65, p. 50).

Ajouter au jus des prunes, les autres ingrédients composant la sauce ainsi que les carrés de peau.

Couvrir et faire cuire à feu moyen pendant 1 heure. Mélanger en cours de

cuisson. Surveiller le niveau du liquide et si nécessaire allonger avec de l'eau. Corriger l'assaisonnement selon le goût et réduire la sauce.

Manger tiède ou froid.

85. *PEAU DE COURGETTES AUX RAISINS ACIDES*
Kachkarikas de kalavasa kon agras

Pour 4 personnes

Temps de préparation : 40 minutes
Temps de cuisson : 1 heure

Ingrédients
Peau de courgettes (1,500 kg)

Sauce
650 g de raisins verts acides (2)
3 1/2 cuillers à soupe d'huile
1 verre 1/2 d'eau
1 pincée de sucre
Sel

Préparation

Eplucher les courgettes selon la recette de la *peau de courgettes au citron* (n° 82, p. 62).

Pour recueillir le jus des raisins, voir la recette des *poissons aux raisins acides* (n° 66, p. 50).

Ajouter au jus des raisins, les autres ingrédients composant la sauce ainsi que les carrés de peau.

(1) Voir leur description dans la recette des *poissons aux prunes aigres-douces* (n° 65, p. 50).

(2) Voir leur description dans la recette des *poissons aux raisins acides* (n° 66, p. 50).

Couvrir et faire cuire à feu moyen durant environ 1 heure. Surveiller le niveau du liquide et si nécessaire allonger avec de l'eau. Corriger l'assaisonnement et réduire la sauce.

Servir tiède ou froid.

86. *QUARTIERS D'AUBERGINES*
Kuartos de berendjena

Pour 6 personnes

Temps de préparation : 20 minutes
Temps de cuisson : 55 minutes

Ingrédients

2 grosses aubergines, longues (environ 1,350 kg)
1 gros oignon
4 tomates râpées ou 2 cuillers à café de concentré de tomate délayées dans un peu d'eau
1 tasse à café de riz cru (trié, lavé et égoutté)
4 cuillers à soupe d'huile
1 1/2 verre d'eau
1/4 de cuiller à café de sucre en poudre
Sel

Préparation

Laver les aubergines. Enlever la tête et les éplucher en laissant des bandes longitudinales de peau d'environ 2 à 3 centimètres de largeur. Les couper d'abord en quatre ou en six, selon leur grosseur, dans le sens de la longueur, puis chaque partie en cinq ou en six dans le sens de la largeur de manière à obtenir des tronçons d'à peu près 4 centimètres.

Éplucher l'oignon et le couper en fines lamelles. Le faire blanchir à l'huile

à petit feu pendant 5 minutes en remuant avec une cuiller. Mettre la sauce tomate, saler et cuire à feu moyen durant 4 minutes. Ajouter les morceaux d'aubergines, le sucre, le sel et l'eau. Faire mijoter, à couvert, pendant 30 minutes (à feu plutôt doux). Jeter le riz en pluie. Réduire la flamme et prolonger la cuisson durant 25 minutes (1). Eviter de touiller avec la cuiller en cours de cuisson afin de ne pas écraser les aubergines. Veiller à ce que chaque quartier soit imprégné de sauce. Si nécessaire, faire cuire un quart d'heure de plus.

Manger chaud.

87. *CAVIAR D'AUBERGINES*
A LA SAUCE DE POULET (2)
Berendjena asada kon kaldo de gayna

Pour 4 personnes

Temps de préparation : 1 heure
Temps de cuisson : 25 à 30 minutes

Ingrédients
1 kg de caviar d'aubergines

Sauce
1 à 2 verres de sauce de poulet
1 tomate râpée
3 1/2 cuillers à soupe d'huile
1 pincée de sucre
Sel

Préparation

Transvaser dans le récipient de

_____

(1) Temps nécessaire à la cuisson du riz.
(2) On peut remplacer la sauce de poulet par la sauce de viande.

cuisson la purée d'aubergines obtenue par le procédé décrit dans la recette du *caviar d'aubergine en salade* (n° 11, p. 22).

Ajouter la tomate râpée, l'huile, le sucre et le sel.

Faire cuire à petit feu pendant 15 à 20 minutes en battant continuellement le caviar d'aubergines avec une cuiller en bois.

Ajouter la sauce de poulet et laisser mijoter durant 10 minutes à feu tout doux (ne pas couvrir);

Ce plat se mange chaud et est servi le vendredi soir ou le samedi midi. Il accompagne le poulet et le riz.

88. CAVIAR D'AUBERGINES A LA SAUCE BECHAMEL
Berendjena asada kon kaldo bechamel

Pour 4 personnes

Temps de préparation : 1 heure
Temps de cuisson : 25 minutes

Ingrédients
1 kg de caviar d'aubergines

Sauce
1 cuiller à soupe bien pleine de farine
1/4 de paquet de margarine (environ 62,5 g)
1 1/2 verre de lait
Sel

Préparation

Préparer les aubergines selon la recette du *caviar d'aubergine en salade* n° 11, p. 22).

Faire fondre ensemble la margarine et la farine (à tout petit feu, 4 à 5 minutes). Tourner pour bien mêler les ingrédients.

Une fois le mélange fondu, ajouter le lait progressivement tout en remuant sans arrêt avec une cuiller. Laisser légèrement épaissir (environ 10 minutes).

Verser (hors du feu) la sauce béchamel sur le caviar d'aubergines. Bien mélanger le tout. Mettre à cuire à tout petit feu pendant 10 minutes.

Servir chaud.

89. CELERI RAVE
Apyo

Pour 4 personnes

Temps de préparation : 25 minutes
Temps de cuisson : 1 heure

Ingrédients
1 céleri-rave moyen
2 carottes

Sauce
3 cuillers 1/2 à soupe d'huile
2 1/2 cuillers à soupe de sucre en poudre
2 citrons
3 verres d'eau
Sel

Préparation

Eplucher, laver et couper les carottes en rondelles d'environ 0,5 cm d'épaisseur.

Couper le céleri en quatre. Eplucher, laver et découper chaque quart en demi-lunes d'à peu près 0,5 cm d'épaisseur.

Mettre les légumes dans une casserole. Ajouter l'huile, le jus de citron et le sucre. Saler et couvrir d'eau.

Porter à ébullition sur feu assez vif (5 minutes), couvrir et laisser mijoter à feu doux pendant 1 heure.

Réduire la sauce.

Servir de préférence froid ou tiède.

Couvrir et laisser cuire jusqu'à ébullition à feu moyen (environ 5 minutes). Baisser la flamme et faire mijoter à petit feu pendant 25 minutes.

Réduire la sauce.

Manger froid ou tiède.

90. QUEUES D'EPINARDS AU CITRON
Ravikos d'espinaka

Pour 2 personnes

Temps de préparation : 20 minutes
Temps de cuisson : 30 minutes

Ingrédients
Les queues d'épinards (1 kg)
1 cuiller à soupe de riz cru (trié, lavé et égoutté)

Sauce
2 cuillers à soupe d'huile
1 citron
3/4 de verre d'eau
Sel

Préparation

Equeuter les épinards et garder les feuilles pour un autre plat (1).

Couper les queues en bâtonnets de 2 à 2,5 cm. Les laver et les mettre dans une casserole. Ajouter tous les ingrédients de la sauce. Y jeter le riz en pluie, en dernier.

(1) Voir les nombreux plats que l'on peut préparer avec les feuilles d'épinards.

91. PUREE D'EPINARDS A LA SAUCE BECHAMEL
Pure d'espinaka

Pour 4 personnes

Temps de préparation : 30 minutes
Temps de cuisson : 20 minutes

Ingrédients
1,500 kg d'épinards

Sauce
1/4 de paquet de margarine (environ 62,5 g)
1 1/2 cuillerée à soupe bien pleine de farine
2 verres de lait
Sel

Préparation

Equeuter les épinards (2). Laver les feuilles et les faire cuire dans de l'eau bouillante salée pendant 20 minutes (les retourner durant la cuisson pour les ramollir uniformément). Les égoutter, les laisser refroidir une quinzaine de minutes et les pressser dans la paume de la main pour extraire l'eau.

Les réduire en purée (3).

(2) Garder les queues pour les *queues d'épinards au citron* (n° 90, p. 66).
(3) Les hacher à la moulinette électrique.

Préparer la sauce béchamel en faisant fondre à tout petit feu la margarine et la farine (environ 5 minutes). Une fois le mélange obtenu, ajouter progressivement le lait en tournant avec une cuiller jusqu'à léger épaississement de la sauce (8 à 15 minutes). La verser (hors du feu) sur les épinards. Mélanger et laisser cuire à tout petit feu (10 minutes à couvert).

Consommer chaud.

92. *EPINARDS AUX HARICOTS SECS*
Espinaka kon avas

Pour 4 personnes

Temps de préparation : 20 minutes
Cuisson des haricots : 2 heures
Temps de cuisson des épinards : 30 minutes

Ingrédients

1 kg d'épinards
1 verre de haricots secs (blancs) trempés pendant 10 heures dans de l'eau froide

Sauce

5 cuillers à soupe d'huile
1 verre de bouillon de viande
4 tomates râpées ou 2 cuillers à soupe de concentré de tomate
Sel

Préparation

Egoutter les haricots et les faire cuire (à feu moyen) pendant environ 2 heures dans une casserole contenant une grande quantité d'eau légèrement salée.

Les transvaser dans une passoire et les laisser refroidir.

Pendant ce temps, équeuter les épinards (1). Laver et couper les feuilles en commençant par leur base, en lamelles de 2 centimètres de largeur.

Les mettre dans une casserole, ajouter tous les ingrédients de la sauce et les haricots cuits par-dessus. Faire cuire à petit feu (à couvert) durant 30 minutes.

Servir chaud.

93. *EPINARDS AU RIZ ET AU CITRON*
Espinaka kon arros i limon

Pour 4 personnes

Temps de préparation : 25 minutes
Temps de cuisson : 1 heure

Ingrédients

1,500 kg d'épinards en branches
1 tasse à café de riz cru (trié, lavé et égoutté)

Sauce

6 cuillers à soupe d'huile
2 1/2 citrons
4 tomates râpées ou 2 cuillers à soupe de concentré de tomate
Sel

Préparation

Laver les épinards. Couper les feuilles en lamelles de 2 centimètres de largeur, et les queues en bâtonnets d'environ 2 centimètres de longueur.

(1) Garder les queues pour un autre plat. Voir la recette n° 90, p. 66.

Mettre dans une casserole, ajouter tous les ingrédients composant la sauce. Couvrir et faire cuire à feu moyen pendant 30 minutes. Mélanger deux à trois fois.

Ajouter le riz (jeté en pluie) et laisser sur le feu jusqu'à cuisson complète du riz (environ 30 minutes).

Manger chaud, tiède ou froid.

94. PUREE D'EPINARDS AU FROMAGE
Sfongo d'espinaka

Pour 6 personnes

Temps de préparation : 1 heure
Temps de cuisson : 20 à 25 minutes

Ingrédients

1 kg d'épinards en branches
3 grosses pommes de terre ou 3 cuillers à soupe de mie de pain trempée et essorée
50 g environ de fromage blanc en purée
50 g environ de kachkaval *râpé*
1 cuiller à soupe de margarine
2 œufs
Sel

Préparation

Laver les épinards et les faire cuire dans 2 verres d'eau jusqu'à ramollissement pendant 25 minutes (couvert). Les égoutter et les laisser refroidir.

Eplucher, laver et faire cuire à l'eau les pommes de terre (30 minutes).

Réduire les épinards en purée, les transvaser dans le récipient de cuisson, ajouter successivement tous les autres ingrédients et bien mélanger le tout.

Cuire cette purée assez liquide durant 20 à 25 minutes à petit feu, sans couvrir. Mélanger en cours de cuisson et retirer du feu après évaporation de l'eau.

Servir chaud.

95. COTES DE BLETTES AU CITRON
Ravikos de pazi

Pour 4 personnes

Temps de préparation : 20 minutes
Temps de cuisson : 45 minutes

Ingrédients

Les côtes de blettes (1 kg)
1 cuiller à soupe de riz cru (trié, lavé et égoutté)

Sauce

3 cuillers à soupe d'huile
2 citrons
1 tomate râpée ou 1 cuiller à café de concentré de tomate
1/2 verre d'eau
Sel

Préparation

Enlever les gros fils et les parties abîmées des côtes. Laver et couper les côtes en lamelles d'environ 2,5 centimètres sur 1 centimètre (dans le sens de la largeur de la côte).

Mettre dans une casserole, ajouter tous les ingrédients de la sauce et jeter le riz en pluie en dernier.

Couvrir et faire cuire à feu moyen pendant 45 minutes. Réduire la sauce.

Manger chaud, tiède ou froid.

96. *PUREE DE BLETTES*
A LA SAUCE BECHAMEL
Pure de pazi kon kaldo bechamel

Pour 4 personnes

Temps de préparation : 30 minutes
Temps de cuisson : 20 minutes

Ingrédients
Les feuilles d'environ 3,500 kg de blettes

Sauce
1/4 de paquet de margarine (environ 62,5 g)
1 1/2 cuiller à soupe bien pleine de farine
2 verres de lait
Sel

Préparation

Préparer ce plat selon la *purée d'épinards à la sauce béchamel* (n° 91, p. 66).

97. *BLETTES AU RIZ ET AU CITRON*
Pazi kon arros i limon

Pour 4 personnes

Temps de préparation : 25 minutes
Temps de cuisson : 1 heure

Ingrédients
1 kg de blettes
1 tasse à café de riz cru (trié, lavé et égoutté)

Sauce
4 cuillers à soupe d'huile
2 1/2 citrons
1/2 verre d'eau
4 tomates râpées ou 2 cuillers à soupe de concentré de tomate
Sel

Préparation

Utiliser aussi bien les côtes que les feuilles des blettes. Débarrasser les blettes de leurs parties flétries et de leurs fibres. Couper chaque blette en commençant par la base en lamelles d'un centimètre de largeur. Laver.

Pour la suite de la préparation, voir la recette *épinards au riz et au citron* (n° 93, p. 67).

98. *PUREE DE BLETTES*
AU FROMAGE
Sfongo de pazi

Pour 6 personnes

Temps de préparation : 1 heure
Temps de cuisson : 20 à 25 minutes

Ingrédients
1 kg de blettes
3 grosses pommes de terre ou 3 cuillers à soupe de mie de pain mouillée et essorée
50 g environ de fromage blanc en purée
50 g environ de kachkaval *râpé*
1 cuiller à soupe de margarine
2 œufs
Sel

Préparation

Se servir aussi bien des côtes que des feuilles des blettes. Enlever leurs parties flétries, leurs fibres et les couper en morceaux. Les laver et les faire cuire dans 2 verres d'eau, à couvert pendant 30 minutes.

Pour la suite de la préparation, procéder selon la recette de la *purée d'épinards au fromage* (n° 94, p. 68).

99. *PUREE DE TOMATES*
   Armi

Pour 4 personnes

Temps de préparation : 40 minutes
Temps de cuisson : 45 minutes

Ingrédients

1 kg de tomates bien rouges
1 gros oignon coupé en petits morceaux
1 cuiller à soupe de persil plat (lavé et effeuillé)
1 petit poivron vert coupé en dés
1/2 tasse à café de riz cru (trié, lavé et égoutté)
3 cuillers à soupe d'huile
1 1/2 cuiller à soupe de sucre en poudre
Sel

Préparation

Laver les tomates. Les plonger hors du feu dans de l'eau bouillante pendant 20 minutes. Les égoutter et enlever la peau, la queue et la partie dure du sommet. Les couper en gros morceaux. Oter les graines.

Faire revenir l'oignon dans l'huile à tout petit feu durant 5 minutes, en tournant avec une cuiller. Ajouter les tomates, le persil et le poivron. Couvrir, porter à ébullition sur feu vif. Saler, sucrer, mélanger et jeter le riz en pluie. Recouvrir et laisser mijoter à tout petit

feu pendant 35 minutes. Ne plus remuer en cours de cuisson (pour ne pas coller le riz).

Servir chaud.

100. *FEVES FRAICHES*
   Baklas ou Avas freskas

Pour 4 personnes

Temps de préparation : 20 minutes
Temps de cuisson : 1 h 10

Ingrédients

1 kg de fèves fraiches

Sauce

3 cuillers à soupe d'huile
2 cuillers à soupe de sucre en poudre
3 verres d'eau
Sel

Préparation

Eplucher (1) les fèves en enlevant le pourtour et les couper dans le sens de la largeur en trois ou quatre bouts.

Les laver, les mettre dans une casserole et ajouter tous les ingrédients de la sauce.

Porter à ébullition (environ 10 minutes) et laisser cuire durant 1 heure à feu moyen, couvercle légèrement entrebaillé pour faciliter l'évaporation du liquide.

Consommer froid, éventuellement accompagné de yaourt.

---

(1) Cuisiner immédiatement les fèves épluchées pour éviter qu'elles noircissent.

101. *RATATOUILLE*
Turlu

Pour 8 personnes

Temps de préparation : 1 heure
Temps de cuisson : 1 heure

Ingrédients

500 g de haricots verts
2 poivrons de taille moyenne
2 grandes courgettes
2 aubergines de taille moyenne
4 pommes de terre de taille moyenne
250 g de gombos en conserve (1)

Sauce

2 gros oignons
7 tomates râpées
5 cuillers à soupe d'huile
1 cuiller à café de concentré de tomate
1/2 verre d'eau
1/4 de cuiller à café de sucre en poudre
Sel

Préparation

Découper le pourtour des haricots pour enlever les fils. Les couper en deux dans le sens de la largeur.

Laver les poivrons, enlever queue, tête et graines. Les émincer.

Eplucher, laver et couper les courgettes en quartiers de 3 centimètres.

Laver les aubergines, enlever feuille et queue. Les éplucher en laissant des bandes de peau longitudinales de 3 centimètres de largeur. Les couper en quartiers de 3 centimètres.

(1) Si possible, se servir de gombos frais, les mettre à cuire 15 minutes après le début de la cuisson des autres légumes.

Eplucher, laver et couper les pommes de terre en quatre.

Dans la marmite de cuisson, faire revenir à l'huile les oignons émincés (environ 3 minutes). Ajouter 4 tomates râpées, saler et faire rissoler durant 5 minutes.

Mettre par-dessus en couches successives les haricots, les poivrons, les courgettes, les aubergines et les pommes de terre. Arroser de 3 tomates râpées et de concentré de tomate délayé. Sucrer, saler, couvrir et laisser cuire à feu moyen pendant 1 heure. Ajouter les gombos en conserve 15 minutes avant la fin de cuisson.

Veiller à ce que les quartiers d'aubergines soient entièrement imprégnés de sauce.

Si nécessaire, prolonger la cuisson en allongeant la sauce avec 1/2 verre d'eau chaude.

Réduire le jus.

Servir avec le *tass kabab* (2). Eventuellement, réchauffer avec la viande.

102. *GOMBOS A LA SAUCE TOMATE*
Bamyas kon salsa de tomat

Pour 4 personnes

Temps de préparation : 10 à 20 minutes selon le cas
Temps de cuisson : pour les gombos frais : 50 minutes ; pour les gombos en conserve : 20 minutes

(2) Voir au chapitre des *viandes cuites* (n° 159, p. 110).

Ingrédients

500 g de gombos frais ou en conserve

Sauce

5 petites tomates râpées ou 2 1/2 cuillers à café de concentré de tomate
4 cuillers à soupe d'huile
1/2 verre d'eau
1/4 de cuiller à café de sucre en poudre
2 citrons
Sel

Préparation

Eplucher les gombos frais, en enlever la tête, les laver et les égoutter.

Dans une casserole, porter à ébullition tous les ingrédients composant la sauce. Ajouter les gombos, couvrir et laisser cuire à feu moyen pendant 45 minutes. (Si nécessaire, ajouter de l'eau chaude en cours de cuisson). Réduire la sauce.

Rincer et égoutter les gombos en conserve. Pour le reste, procéder de la même façon en les faisant cuire durant 15 minutes (dès ébullition).

Manger froid.

103. *GOMBOS AUX PRUNES AIGRES-DOUCES*
Bamyas kon avramila

Pour 4 personnes

Temps de préparation : 40 minutes à 1 heure selon le cas
Temps de cuisson : pour les gombos frais : 50 minutes ; pour les gombos en conserve : 20 minutes

Ingrédients

500 g de gombos frais ou en conserve

Sauce

500 g de prunes golden (1)
4 cuillers à soupe d'huile
1/2 verre d'eau
1 cuiller à café de sucre en poudre
1 à 2 citrons
Sel

Préparation

Recueillir le jus des prunes selon le procédé décrit dans la recette des *poissons aux prunes aigres-douces* (n° 65, p. 50).

Ajouter au jus des prunes, les autres ingrédients de la sauce. Porter à ébullition et faire cuire les gombos en se reportant à la recette des *gombos à la sauce tomate* (n° 102, p. 71). Si nécessaire, ajouter de l'eau en cours de cuisson. Réduire la sauce.

Servir froid.

104. *GOMBOS AUX RAISINS ACIDES*
Bamyas kon agras

Pour 4 personnes

Temps de préparation : 30 à 50 minutes selon le cas
Temps de cuisson : pour les gombos frais : 50 minutes ; pour les gombos en conserve : 20 minutes

(1) Voir leur description dans la recette des *poissons aux prunes aigres-douces* (n° 65, p. 50).

Ingrédients

500 g de gombos frais ou en conserve

Sauce

500 g de raisins verts et acides (1)
4 cuillers à soupe d'huile
1 verre d'eau
1/2 cuiller à café de sucre en poudre (plus ou moins selon le goût)
Sel

Préparation

Recueillir le jus des raisins selon le procédé décrit dans la recette des *poissons aux raisins acides* (n° 66, p. 50).

Ajouter au jus des raisins, les autres ingrédients composant la sauce. Porter à ébullition et faire cuire les gombos comme dans la recette des *gombos à la sauce tomate* (n° 102, p. 71).

Si nécessaire, allonger avec de l'eau chaude en cours de cuisson. Réduire la sauce.

Manger tiède ou froid.

105. *CHOU A LA SAUCE TOMATE ET AU CITRON*
Komida de kol

Pour 8 personnes

Temps de préparation : 30 minutes
Temps de cuisson : 1 h 15

Ingrédients

1 chou blanc ou vert d'environ 1,250 kg
1 verre de riz cru (trié, lavé et égoutté)

(1) Voir leur description dans la recette des *poissons aux raisins acides* (n° 66, p. 50).

Sauce

5 cuillers à soupe d'huile
2 1/2 à 3 citrons (selon le goût)
4 tomates râpées ou 2 cuillers à café de concentré de tomate
1/2 cuiller à café de sucre en poudre
2 verres d'eau
Sel

Préparation

Enlever les feuilles extérieures flétries. Couper le chou en deux dans le sens vertical. Laver et découper chaque moitié à partir de son sommet dans le sens de la largeur en lamelles d'environ 0,5 cm. Jeter le trognon et les parties dures.

Dans une grande marmite (2), faire cuire le chou, à couvert, pendant 10 minutes. Ajouter l'huile, le citron et la sauce tomate. Saler, sucrer et mettre 2 verres d'eau. Couvrir et laisser mijoter à feu plutôt doux durant 45 minutes. Ajouter le riz (jeté en pluie) et cuire (couvert) à petit feu jusqu'à cuisson complète (30 minutes). Mélanger tous les ingrédients.

Si nécessaire, verser 1 à 2 verres d'eau chaude.

Servir chaud ou tiède.

(2) Le chou cru prend beaucoup de volume, mais se réduit rapidement en cours de cuisson.

106. HARICOTS VERTS
Fasulyas
Pour 6 personnes

Temps de préparation : 30 à 45 minutes
Temps de cuisson : 30 minutes

Ingrédients
1,500 kg de haricots plats et larges (cocos)

Sauce
4 cuillers à soupe d'huile
2 tomates râpées
1 1/2 verre d'eau
Sel

Préparation

Enlever les fils en découpant le pourtour des haricots. Les couper en deux ou trois morceaux (dans le sens de la largeur). Les laver, les mettre dans une casserole et ajouter les ingrédients de la sauce.

Faire cuire à feu plutôt fort (1) à couvert, pendant 30 minutes. Prolonger éventuellement la cuisson en veillant au niveau du liquide.

Manger chaud ou tiède (2).

Deuxième façon :

Ingrédients
1,500 kg de haricots plats et large (cocos)

(1) Les haricots noircissent quand ils cuisent lentement.
(2) Si on cuit les haricots dans une casserole en aluminium, les transvaser aussitôt après cuisson dans un récipient en émail ou en verre.

Sauce
1 oignon épluché, lavé et émincé en fines lamelles
4 cuillers à soupe d'huile
1 1/2 verre d'eau
Sel

Préparation

Découper le pourtour des haricots pour enlever les fils. Les couper dans le sens de la longueur en deux ou trois, de manière à obtenir de minces lamelles (de la longueur des haricots et de 0,5 cm de largeur environ). Laver et égoutter.

Dans la casserole de cuisson, faire blanchir l'oignon à l'huile en remuant avec une cuiller (environ 3 minutes). Ajouter les haricots. Saler et couvrir d'eau.

Laisser cuire (à couvert) pendant 30 minutes (à grand feu). Si nécessaire, ajouter de l'eau en cours de cuisson.

Servir chaud, tiède ou froid.

107. HARICOTS A ECOSSER
Barbunyas
Pour 4 personnes

Temps de préparation : 20 minutes
Temps de cuisson : 30 à 40 minutes

Ingrédients
1 kg de haricots à écosser
1 oignon épluché, lavé et émincé

Sauce
4 cuillers à soupe d'huile
3 tomates râpées
Eau
Sel

Préparation

Ecosser les haricots, les laver et les égoutter.

Faire revenir dans l'huile l'oignon émincé. Ajouter les haricots et les ingrédients de la sauce. Couvrir d'eau et laisser cuire (couvert) à feu plutôt moyen pendant 30 à 40 minutes jusqu'à cuisson complète. Veiller au niveau du liquide et si nécessaire allonger la sauce en cours de cuisson.

Consommer chaud.

108. *CAROTTES AU CITRON ET AU RIZ*
Komida de safanorya
Pour 4 personnes

Temps de préparation : 20 minutes
Temps de cuisson : 55 minutes

Ingrédients
1 kg de carottes
1 tasse à café de riz cru (trié, lavé et égoutté)

Sauce
4 cuillers à soupe d'huile
2 à 3 citrons (selon le goût)
2 verres d'eau
Sel

Préparation

Eplucher, laver et râper les carottes en se servant des gros trous de la râpe à fromage (1). Les mettre dans une casse-

(1) Ou bien, râper les carottes à la moulinette électrique.

role et ajouter les ingrédients de la sauce. Couvrir et laisser cuire à petit feu pendant 30 minutes. Mélanger une ou deux fois.

Jeter le riz en pluie. Mélanger à nouveau. Faire mijoter à feu doux durant 25 minutes environ jusqu'à cuisson complète du riz et évaporation du liquide (à couvert).

Manger chaud.

109. *POTIRON AUX PRUNEAUX*
Komida de balkabak kon prunas
Pour 6 personnes

Temps de préparation : 15 minutes
Temps de cuisson : 1 heure

Ingrédients
1 kg de potiron
200 g de pruneaux mis à tremper dans de l'eau froide la veille au soir

Sauce
3 cuillers à soupe d'huile
1 1/2 citron
1 cuiller à soupe de sucre en poudre
1/4 de verre d'eau
Sel

Préparation

Eplucher, laver et couper le potiron en cubes de 3 centimètres sur 3,5 centimètres et 1 à 2 centimètres d'épaisseur. Mettre dans une casserole en ajoutant par-dessus les pruneaux lavés et égouttés. Assaisonner avec les ingrédients composant la sauce. Couvrir et faire cuire à petit feu jusqu'à évaporation complète du liquide.

Manger tiède ou froid, accompagné de viande.

110. *PETITS POIS*
Bezelyas
Pour 4 personnes

Temps de préparation : 20 minutes
Temps de cuisson : 20 à 30 minutes

Ingrédients
1 kg de petits pois

Sauce
2 cuillers à soupe d'huile.
1 cuiller à café de sucre en poudre
2 verres d'eau ou de sauce de poulet ou de viande
Sel

Préparation

Egrener et laver les petits pois.

Dans une casserole, porter à ébullition les ingrédients composant la sauce. Y ajouter les petits pois.

Couvrir et faire cuire sur feu moyen pendant 20 à 30 minutes.

Eventuellement prolonger la cuisson en allongeant la sauce si nécessaire.

Les petits pois sont nettement meilleurs à la sauce de poulet ou de viande.

Ils garnissent le riz et le poulet.

111. *FONDS D'ARTICHAUTS*
Endjinara

Pour 4 personnes

Temps de préparation : 45 minutes
Temps de cuisson : 1 heure

Ingrédients
4 gros artichauts (1)
Pour leur nettoyage : 2 citrons

Sauce
4 cuillers à soupe d'huile
2 bonnes cuillers à soupe de sucre en poudre
3 verres d'eau
2 1/2 citrons
Sel

Préparation

Eplucher les artichauts en coupant la queue à 2 centimètres de la base. En arracher les feuilles une à une et en gratter le duvet. Enlever au couteau les parties vert foncé de l'extérieur et l'écorce dure de la queue. Frotter entièrement de citron les fonds d'artichauts nettoyés (pour qu'ils ne noircissent pas). Laver les artichauts et les laisser tremper dans une casserole remplie d'eau additionnée de jus de citron.

Détacher les extrémités charnues (2) des feuilles et les laver.

Disposer dans une casserole, les fonds d'artichauts et les cœurs des feuilles (les extrémités charnues). Ajouter les ingrédients de la sauce. Couvrir, porter à ébullition et faire cuire à feu plutôt doux pendant 1 heure ou plus jusqu'à cuisson complète.

Servir les artichauts froids, garnis des cœurs des feuilles et arrosés de sauce.

(1) Il est possible de remplacer les artichauts frais par des fonds d'artichauts en conserve.
(2) Laisser de côté les extrémités charnues des feuilles qui ne se détachent pas facilement à la main.

112. *CHOU-FLEUR FRIT*
Karnabit (ou) *Kol i flor frito*

Pour 6 personnes

Temps de préparation : 25 minutes
Temps de friture : 25 minutes
Temps de cuisson : 10 minutes

Ingrédients
1 beau chou-fleur

Pour la friture
1 grand bol de farine
2 œufs battus
Huile

Sauce
1 1/2 verre de jus de poulet ou de viande
2 tomates râpées ou 1 cuiller à soupe de concentré de tomate
Sel

Préparation

Enlever les feuilles du chou-fleur et passer rapidement toutes ses faces sur une flamme.

Gratter ses parties brûlées, découper le chou-fleur en bouquets en le détachant de sa souche. Le laver et le cuire (couvert) durant 15 minutes dans une casserole remplie d'eau bouillante salée. L'égoutter (1) et le laisser refroidir pendant une vingtaine de minutes.

Enduire entièrement chaque bouquet de farine et d'œuf battu. Faire dorer des deux côtés dans une poêle contenant de l'huile chaude.

Dans un fait-tout, laisser mijoter la sauce (10 à 15 minutes à partir de

(1) Retirer le chou-fleur de l'eau dès cuisson.

l'ébullition). Y déposer les bouquets frits et les faire pocher pendant environ 10 minutes.

Ainsi préparé, ce plat accompagne le poulet ou la viande.

113. *CHOU-FLEUR*
A LA SAUCE AIGRE
Karnabit kon agristada

Pour 6 personnes

Temps de préparation : 30 minutes
Temps de cuisson : 15 minutes environ

Ingrédients
1 chou-fleur

Sauce
3 cuillers à soupe d'huile
2 citrons
2 cuillers à soupe de farine
2 œufs
2 verres d'eau
Sel

Préparation

Cuire le chou-fleur en bouquets selon la recette précédente (20 minutes). Dès cuisson, retirer du feu et égoutter.

Dans un récipient, porter à ébullition l'eau, le jus de citron et l'huile (saler). Réduire la flamme au minimum.

Délayer la farine avec un peu d'eau, ajouter 2 à 3 cuillers de jus de citron et incorporer les œufs battus. Bien mélanger le tout (à la fourchette). Verser ce mélange (progressivement et tout en tournant continuellement avec une cuiller ou une fourchette) dans le bouillon jusqu'à épaississement de la sauce (à tout petit feu, environ 5 minutes) (1). Retirer du feu et en napper les bouquets de chou-fleur.

Consommer tiède ou froid.

lement, ajouter 1/2 à 1 verre d'eau chaude en cours de cuisson.

Si on a des restes de poulet ou de viande, en garnir les pommes de terre et les faire cuire ensemble.

114. *POMMES DE TERRE A LA COCOTTE*
Patatas kotchas

Pour 6 personnes

Temps de préparation : 15 minutes
Temps de cuisson : 30 minutes

Ingrédients
1 kg de pommes de terre qui ne se défont pas à la cuisson

Sauce
3 cuillers à soupe d'huile
4 tomates râpées
2 verres de bouillon de poulet ou de viande, ou à défaut, d'eau
Sel

Préparation

Eplucher, laver et couper les pommes de terre en tranches fines d'environ 0,2 cm d'épaisseur. Les disposer dans une cocotte et verser par-dessus les ingrédients composant la sauce. Couvrir, porter à ébullition et faire cuire à feu moyen jusqu'à cuisson complète (30 à 40 minutes selon leur qualité). Eventuel-

(1) Si la sauce reste trop liquide, ajouter un peu de farine (une demi-cuiller à café environ). Si au contraire, elle est trop épaisse, l'allonger avec un filet d'eau. Eliminer les grumeaux (si nécessaire).

115. *POMMES DE TERRE AU FOUR*
Patatas al orno

Pour 6 personnes

Temps de préparation : 15 minutes
Temps de cuisson : 1 heure

Ingrédients
1 kg de pommes de terre

Sauce
3 à 3 1/2 cuillers à soupe d'huile (plus ou moins, selon le goût)
4 tomates râpées
1 verre de bouillon de poulet ou de viande ou à défaut, d'eau
Poivre
1 pincée de thym (facultatif)
Sel

Décoration
2 tomates coupées en tranches fines

Préparation

Eplucher, laver et couper les pommes de terre selon la recette précédente.

Les disposer dans un plat allant au four en les garnissant éventuellement avec des restes de poulet ou de viande. Verser par-dessus les ingrédients de la sauce, décorer avec les tranches de tomates et faire cuire à four chaud durant 50 minutes à 1 heure.

116. *POMMES DE TERRE DOREES*
Patatas eskaldadas i fritas

Pour 6 personnes

Temps de préparation : 40 minutes
Temps de friture : 25 minutes

Ingrédients
1 kg de pommes de terre qui ne se défont pas à la cuisson

Pour la friture
1 bol de farine
2 œufs battus
Huile
Sel

(Eventuellement frire les pommes de terre en les enduisant d'œuf battu seulement).

Préparation

Laver les pommes de terre. Les faire cuire avec leur peau dans une casserole remplie d'eau pendant 30 minutes (à couvert).

Egoutter et laisser refroidir durant une vingtaine de minutes. Eplucher et découper les pommes de terre en rondelles d'environ 0,3 cm d'épaisseur (dans le sens de la largeur).

Enduire les rondelles de farine et d'œuf battu et les frire dans l'huile chaude.

Saler et servir chaud.

Les pommes de terre ainsi préparées accompagnent la viande, le poulet ou les boulettes de viande aussi bien chauds que froids. Elles peuvent être réchauffées dans 1 ou 1 1/2 verre de jus de poulet ou de viande pendant 5 à 10 minutes, à tout petit feu.

117. *PUREE DE POMMES DE TERRE*
Pure de patata

Pour 6 personnes

Temps de préparation : 10 minutes
Temps de cuisson : 30 minutes

Ingrédients
1 kg de pommes de terre

Sauce
1 1/2 verre de lait bouillant
1 bonne noix de margarine ou de beurre
Sel

Préparation

Eplucher, laver et faire cuire les pommes de terre à couvert dans une casserole en les recouvrant d'eau salée (30 minutes). Ne pas jeter l'eau de cuisson.

Dès cuisson, transvaser les pommes de terre, une à une, dans le plat de service et les écraser à la fourchette en les mouillant avec un peu d'eau de cuisson (1 à 2 cuillers à soupe).

Y faire fondre la margarine et incorporer le lait. Saler, mélanger à nouveau et servir immédiatement.

LEGUMES FARCIS A LA VIANDE
Legumbres yenos de karne

La farce est toujours préparée avec du bœuf haché que l'on pétrit avec de la mie de pain trempée dans l'eau et essorée (1) et un peu d'huile pour la ramollir (2). C'est ce qui lui donne toute son onctuosité. Veiller à pétrir longuement la farce de façon à mêler intimement tous ses ingrédients et à la rendre encore plus moelleuse.

Il est conseillé de faire cuire tous les légumes farcis dans des marmites plutôt larges. Les disposer de préférence les uns à côté des autres, et s'il n'y a pas assez de place les superposer.

Certains légumes farcis, comme les courgettes ou les tomates, peuvent se présenter à table dans leur récipient de cuisson. On évite ainsi de les transvaser.

Faire, éventuellement, des boulettes de la grosseur d'une toute petite noix avec la farce inemployée et les mettre à cuire avec les légumes farcis.

Les légumes farcis comme beaucoup de plats mijotés gagnent à être réchauffés et consommés quelques jours après leur préparation.

118. *MARIEES OU SIFFLETS DE POIREAUX A LA SAUCE TOMATE*
Novyas o tchufletes de prasa

Pour 6 personnes

Temps de préparation : 1 heure
Temps de cuisson : 1 h 20

Ingrédients
1,500 kg de gros poireaux

Farce
500 g de bœuf haché
5 cuillers à soupe de mie de pain trempée et essorée
1 cuiller à soupe d'huile
Sel

Sauce
5 cuillers à soupe d'huile
2 cuillers à café de concentré de tomate
2 verres d'eau
2 1/2 à 3 citrons (selon le goût)
Sel

Préparation

Nettoyer les poireaux en enlevant les parties flétries des feuilles ainsi que les parties vertes. Couper les blancs en tronçons d'environ 10 centimètres (3 à 4 tronçons par poireau, selon sa taille). Les laver et les faire cuire dans de l'eau pendant 30 minutes.

(1) On essore la mie de pain en la pressant dans la paume de la main. Elle peut contenir un peu d'eau.
(2) Les quantités de mie de pain et d'huile peuvent varier selon la qualité de la viande. On aura intérêt à les augmenter pour une viande sèche ou au contraire à les diminuer pour une viande grasse.

Mettre dans un récipient, la viande et la mie de pain. Bien pétrir. Ajouter l'huile et le sel. Mélanger tous les ingrédients.

Egoutter les poireaux bouillis. Les laisser refroidir une vingtaine de minutes. Couper chaque tronçon par le milieu dans le sens de la longueur. Enlever sur chaque moitié une ou deux pellicules extérieures. Etaler à l'intérieur d'une moitié une cuillerée à café ou plus de farce (dans le sens de la longueur). Plier en deux dans le même sens de façon à couvrir la farce et enrubanner avec les pellicules prélevées. S'il est difficile de plier, coller l'autre moitié sur celle qui est farcie en les attachant de la manière indiquée.

Disposer les poireaux farcis dans une marmite. Ajouter l'huile et la sauce tomate délayée. Saler et arroser de citron. Couvrir, porter à ébullition (environ 10 minutes), puis faire cuire à feu moyen durant 1 heure. Réduire le jus en prolongeant la cuisson de 15 à 20 minutes (à découvert). Augmenter la flamme si nécessaire.

Il est d'usage pour ce plat de servir seulement le blanc des poireaux. C'est pour cette raison qu'il est recommandé de les choisir bien beaux. Cependant, certaines ménagères coupent les feuilles vertes en petits morceaux, les font bouillir en même temps que les blancs et en tapissent le fond du fait-tout. C'est sur cette couche qu'elles feront cuire les blancs farcis. D'autres, les répartissent en bâtonnets de 10 centimètres et les farcissent comme les blancs.

Ce plat se mange chaud.

119. *MARIEES OU SIFFLETS DE POIREAUX A LA SAUCE AIGRE*
Novyas o tchufletes de prasa kon agristada

Pour 6 personnes

Temps de préparation : 1 heure
Temps de cuisson : 1 h 20

Ingrédients
1,500 kg de gros poireaux

Farce
500 g de bœuf haché
5 cuillers à soupe de mie de pain trempée et essorée
1 cuiller à soupe d'huile
Sel

Sauce
5 cuillers à soupe d'huile
2 verres d'eau
2 1/2 à 3 citrons (selon le goût)
Sel
2 œufs battus avec 3 cuillers à soupe de jus de citron plus 5 cuillers à soupe de la sauce de cuisson

Préparation

Voir description faite plus haut pour la préparation des poireaux farcis (n° 118, p. 80).

Les mettre dans une marmite. Verser l'huile et l'eau. Saler et arroser de jus de citron. Couvrir et laisser cuire à feu moyen pendant environ 1 heure (dès ébullition). Ne pas laisser réduire la sauce et si nécessaire l'allonger avec 1/2 à 1 verre d'eau chaude.

Baisser le feu au plus bas et 10 minutes après, incorporer dans la sauce les œufs battus au citron et à la sauce de cuisson (tourner continuellement avec une fourchette jusqu'à épaississement, environ 10 minutes à tout petit feu –).

Consommer chaud ou tiède.

120. TOMATES ET POIVRONS FARCIS
Tomates i peperuchkas yenas

Pour 8 personnes

Temps de préparation : 30 minutes
Temps de cuisson : 1 h 15

Ingrédients

1,250 kg de tomates bien rouges de taille moyenne (10 tomates)
500 g de petits poivrons verts (5 poivrons)

Farce

500 g de bœuf haché
5 cuillers à soupe de mie de pain trempée et essorée
1 1/2 cuiller à soupe d'huile
1 tasse à café de riz cru (trié, lavé et égoutté)
1 poignée de persil lavé et haché (facultatif)
Sel

Sauce

6 cuillers à soupe d'huile
1/2 verre d'eau
2 cuillers à soupe de sucre en poudre
Sel

Préparation

Dans un récipient, pétrir tous les ingrédients de la farce.

Laver les tomates et les découper aux trois quarts de leur hauteur (à partir de la base), sans détacher complètement la partie supérieure afin qu'elle puisse servir de couvercle. Les évider en laissant toutefois une partie de leur chair (ce qui les rend plus juteuses). Les remplir de deux cuillers à café bien pleines de farce en repoussant avec le pouce. Les disposer dans un fait-tout.

Laver les poivrons, les découper comme les tomates. Enlever les graines et les fibres. Les remplir de quatre cuillers à café (ou plus) bien pleines de farce. Les ranger au milieu du même fait-tout pour qu'ils cuisent plus vite.

Ajouter l'huile, le sel, le sucre et l'eau. Couvrir et laisser cuire à feu moyen jusqu'à ébullition (environ 10 minutes). Puis, baisser la flamme et faire mijoter à feu plutôt doux pendant environ 1 heure. Si les poivrons ne sont pas assez cuits, prolonger la cuisson d'une vingtaine de minutes. Réduire la sauce.

Servir chaud.

121. TOMATES FARCIES
Tomates yenas

Pour 4 à 6 personnes

Temps de préparation : 20 minutes
Temps de cuisson : 45 minutes à 1 heure

Ingrédients

1 kg de tomates bien rouges de taille moyenne

Farce

250 g de bœuf haché
2 cuillers à soupe de mie de pain mouillée et essorée
1 cuiller à café d'huile
1/2 tasse à café de persil lavé et haché (facultatif)
Sel

Sauce

4 cuillers à soupe d'huile
1 1/2 cuiller à soupe de sucre en poudre
1/2 verre d'eau
Sel

Préparation

Préparer les tomates selon la recette précédente.

122. *TOMATES VERTES FARCIES*
Frenkes enreynadas
Pour 4 à 6 personnes (8 moitiés farcies)

Temps de préparation avec la friture : 45 minutes
Temps de cuisson : 40 minutes

Ingrédients

1,200 kg de grosses tomates vertes (4 tomates)

Farce

250 g de bœuf haché
2 cuillers à soupe de mie de pain trempée et essorée
1/2 cuiller à café d'huile
1/2 tasse à café de riz cru (trié, lavé et égoutté)
1/2 tasse à café de persil lavé et haché
Sel

Pour la friture

1 grand bol de farine
2 œufs battus
Huile

Sauce

2 cuillers à soupe d'huile
4 tomates râpées ou 2 cuillers à café de concentré de tomate
1/2 verre d'eau
1 petite pincée de sucre
Sel

Préparation

Préparer la farce en pétrissant tous ses ingrédients.

Laver les tomates et les couper en deux dans le sens de la largeur. Les vider à moitié de leur chair en prenant soin d'ôter les parties dures du milieu. En retirer la queue. Les farcir de trois cuillers à café bien pleines de farce (la repousser avec le pouce).

Frire les tomates en les enduisant entièrement de farine et d'œuf battu. Faire bien saisir les deux côtés.

Disposer les moitiés farcies dans une marmite. Ajouter l'huile, les tomates râpées et l'eau. Sucrer et saler. Couvrir et laisser cuire à tout petit feu pendant 40 minutes.

Manger chaud.

123. *COURGETTES FARCIES*
Kalavasas yenas
Pour 8 personnes (17 tronçons)

Temps de préparation : 30 minutes
Temps de cuisson : 1 h 15 à 2 heures selon leur qualité

Ingrédients
1,250 kg de courgettes

Farce
250 g de bœuf haché
3 cuillers à soupe de mie de pain trempée et essorée
1 1/2 cuiller à café d'huile
Sel

Sauce
2 tomates râpées
1 cuiller à soupe très pleine de concentré de tomate plus 1 verre d'eau
4 1/2 cuillers à soupe d'huile
2 cuillers à soupe rases de sucre en poudre
Sel

Préparation

Laver les courgettes, enlever leurs deux extrémités, les éplucher et les couper en tronçons de 5 à 6 centimètres (dans le sens de la largeur). Les vider de leur chair en creusant le centre de chaque tronçon. Les remplir d'une et demi à deux demi-cuillers à café de farce selon leur contenance (bien repousser la farce).

Les mettre dans le fond d'une marmite. Verser par-dessus les tomates râpées, l'huile, le sucre, le sel et la sauce tomate diluée.

Laisser cuire à feu moyen, à couvert, pendant 1 h 15 ou plus jusqu'à cuisson

complète. Si nécessaire, ajouter de l'eau chaude en cours de cuisson (1 verre ou plus).

Servir chaud.

124. *CUILLERS D'AUBERGINES*
Kutcharas de berendjena
(environ 12 barquettes)
Pour 4 à 6 personnes

Temps de préparation avec la friture : 1 heure
Temps de cuisson : 45 minutes

Ingrédients
2 aubergines longues et fines (environ 600 g)

Farce
250 g de bœuf haché
3 cuillers à soupe de mie de pain trempée et essorée
1 cuiller à café d'huile
Sel

Pour la friture
1 grand bol de farine
2 œufs battus
Huile

Sauce
3 tomates râpées ou 1 cuiller à soupe de concentré de tomate délayée dans 1 verre d'eau
1 cuiller à café rase de sucre en poudre
1/2 verre d'eau
Sel

Préparation

Laver les aubergines. Enlever la queue et la feuille. Les éplucher en laissant des bandes longitudinales de peau d'à peu près 3 centimètres de largeur. Les couper en deux dans le sens de la longueur et chaque moitié en trois (transversalement).

Creuser l'intérieur de chaque morceau avec un couteau en commençant par le côté large et enlever la chair de façon à donner la forme d'une barquette d'environ 1 à 1,5 cm d'épaisseur.

Préparer la farce en pétrissant ensemble tous ses ingrédients. Remplir la face creuse de chaque barquette d'environ 2 1/2 cuillers à café bien pleines de farce (la repousser et l'étaler avec les doigts).

Enduire soigneusement chaque tronçon de farine et d'œuf battu. Faire saisir toutes les faces dans l'huile très chaude.

Disposer dans une marmite. Assaisonner, couvrir et cuire à tout petit feu pendant 40 minutes (dès ébullition).

Servir chaud.

125. *ROULEAUX D'AUBERGINES*
Yaprakes de berendjena

(Environ 30 rouleaux)
Pour 8 personnes

Temps de préparation avec la friture : 1 h 30
Temps de cuisson : 45 minutes

Ingrédients
4 aubergines longues et fines (environ 1 kg)

Pour la friture
2 œufs battus
Huile

Farce
250 g de bœuf haché
3 cuillers à soupe de mie de pain trempée et essorée
1 cuiller à café d'huile
Sel

Sauce
5 tomates râpées ou 2 cuillers à soupe de concentré de tomate plus 1 verre d'eau
1 cuiller à café de sucre en poudre
Sel

Décoration
1 tomate coupée en tranches

Préparation

Laver les aubergines. Les éplucher en laissant des bandes longitudinales de peau d'à peu près 3 centimètres de largeur. Les couper en deux dans le sens de la longueur, puis chaque moitié en lamelles aussi minces que possible (environ 0,2 cm d'épaisseur).

Enduire les tranches d'aubergines d'œuf battu et faire frire très rapidement des deux côtés en les plongeant dans l'huile très chaude (1). Laisser refroidir les tranches frites (environ 20 minutes).

Pétrir tous les ingrédients composant la farce.

Mettre sur la base de chaque tranche une boule de farce (1/2 à 1 cuiller à café pleine). Enrouler.

Placer les rouleaux, la jointure en contact avec la base de la marmite afin d'éviter l'ouverture. Saler, sucrer et ajouter la sauce tomate. Garnir d'une tomate coupée en tranches. Couvrir et laisser mijoter à feu doux durant 45 minutes.

Consommer chaud.

(1) Il est possible d'enduire et de frire un seul côté de chaque tranche. Dans ce cas, farcir la face non frite.

126. *FEUILLES DE CHOU FARCIES*
Yaprakes de kol

(environ 35 rouleaux)
Pour 8 à 10 personnes

Temps de préparation : 1 h 30
Temps de cuisson : 1 h 10

Ingrédients
1 chou blanc (environ 1,240 kg)

Farce
500 g de bœuf haché
5 cuillers à soupe de mie de pain trempée et essorée
1 tasse à café de riz cru (trié, lavé et égoutté)
1 cuiller à soupe d'huile
Sel
Poivre (éventuellement)

Sauce
5 cuillers à soupe d'huile
1 verre d'eau
1/2 cuiller à café de sucre en poudre
4 tomates râpées ou 1 1/2 cuiller à soupe de concentré de tomate plus 1/4 de verre d'eau
2 1/2 à 3 citrons (selon le goût)
Sel

Préparation

Préparer la farce en pétrissant ensemble tous les ingrédients entrant dans sa composition.

Laver le chou, enlever les feuilles extérieures abîmées. Couper le trognon et plonger le chou (1) dans une grande casserole remplie d'eau bouillante salée (1 cuiller à café de sel).

Faire cuire à feu vif durant 20 minutes. Retourner le chou, cette fois-ci le sommet en contact avec la base de la casserole et laisser bouillir pendant 20 minutes jusqu'à assouplissement des feuilles. Retirer le chou de l'eau, l'égoutter et le laisser refroidir une quinzaine de minutes.

Détacher les feuilles, une à une, en incisant autour du trognon. Poser chaque feuille sur une surface plate. Enlever dans la partie grosse de la nervure, près de sa base, un morceau triangulaire d'environ 5 centimètres de côté (2). Poser, juste au sommet de l'angle dessiné dans la feuille, 2 cuillers à café bien pleines de farce. Replier les extrémités latérales, à droite et à gauche. Enrouler la feuille en commençant par la base pour donner au rouleau l'aspect d'un minuscule baluchon (environ 8 cm sur 4 cm). Si en arrivant au cœur du chou, les feuilles ne sont pas assez souples, prolonger leur cuisson de 20 minutes dans l'eau chaude qu'on n'aura pas jetée. Les farcir d'une cuiller à café (ou moins) et les enrouler de la même manière.

Dans une marmite, disposer au fur et à mesure les rouleaux, la jointure en contact avec le fond du récipient, en prenant soin de mettre les plus résistants en premier.

Ajouter l'huile, l'eau, le sel, le sucre, la sauce tomate et arroser de jus de citron.

Laisser cuire (couvert), à feu plutôt doux durant 1 heure, à partir de l'ébullition (environ 10 minutes). Si nécessaire, prolonger la cuisson pendant 10 à 15 minutes (ou un peu plus).

Manger chaud.

(1) Mettre le chou, sa base en contact avec le fond de la casserole.

(2) Ou moins selon la taille de la feuille.

127. FEUILLES D'EPINARDS FARCIES
Yaprakes d'espinaka

(60 rouleaux)
Pour 6 personnes

Temps de préparation : 1 heure
Temps de cuisson : 30 minutes

Ingrédients
1 kg d'épinards

Farce
500 g de bœuf haché
5 cuillers à soupe de mie de pain trempée et essorée
1 cuiller à soupe d'huile
Sel

Sauce
5 cuillers à soupe d'huile
3 citrons
1/4 de verre d'eau
Sel

Préparation

Equeuter (1) et laver les épinards.

Faire blanchir les feuilles en les plongeant hors du feu, pendant 5 minutes dans de l'eau bouillante. Les égoutter et les laisser refroidir (20 minutes).

Préparer la farce en pétrissant tous les ingrédients.

Prendre délicatement chaque feuille, l'étaler sur une surface plate et poser au-dessus de l'échancrure de sa racine 1 à 2 cuillers à café bien pleines de farce (2).

(1) Garder les queues pour les *queues d'épinards au citron* (n° 90, p. 66).
(2) Mettre plus ou moins de farce selon la taille de la feuille.

Enrouler la feuille en commençant par sa base et, éventuellement, replier les extrémités latérales, à droite et à gauche si la feuille est grande.

Placer les rouleaux dans un fait-tout, la jointure en contact avec la base du récipient, en posant les plus gros dans le fond. Arroser d'huile, de citron et d'eau. Saler et cuire à petit feu (couvert) pendant 30 minutes. Si nécessaire, prolonger la cuisson d'un quart d'heure en veillant au niveau du liquide.

Servir chaud.

128. FEUILLES DE BLETTES FARCIES
Yaprakes de pazi

(Environ 30 rouleaux)
Pour 6 personnes

Temps de préparation : 1 heure
Temps de cuisson : 45 minutes

Ingrédients
1,500 kg de blettes

Farce
250 g de bœuf haché
3 cuillers à soupe de mie de pain trempée et essorée
1 cuiller à café d'huile
Sel

Sauce
4 cuillers à soupe d'huile
3 citrons
1/2 verre d'eau
Sel
4 tomates râpées ou 2 cuillers à café de concentré de tomate (éventuellement)

Décoration
1 tomate coupée en tranches

Préparation

Pétrir ensemble tous les ingrédients de la farce.

Détacher chaque feuille de sa côte (1). La tailler afin d'obtenir des feuilles plus petites d'environ 7 à 9 centimètres de largeur et de 11 à 20 centimètres de longueur. Enlever les plus grosses nervures. Laver les feuilles.

Les faire blanchir en les plongeant (hors du feu) pendant 5 minutes dans de l'eau bouillante. Egoutter.

Les farcir comme les feuilles d'épinards (voir ci-dessus). Les mettre dans une marmite, ajouter l'huile et l'eau. Arroser de jus de citron et saler. Garnir d'une tomate coupée en tranches. Couvrir et faire mijoter à feu doux durant 45 minutes.

Manger chaud.

BOULETTES AUX LEGUMES
Albondigas i fritas

Les *albondigas* et les *fritas* sont des boulettes composées en général d'un légume et de viande hachée, bien pétris ensemble.

Elles peuvent être servies nature, ou réchauffées dans du jus de poulet ou de viande, ou encore revenues dans un peu de matière grasse.

Elles accompagnent le riz, le poulet ou la viande et sont servies le samedi midi.

On les prépare pendant la période de Pâque en remplaçant la farine par la semoule de pain azyme.

129. *BOULETTES AU CELERI*
Albondigas de apyo

(Environ une vingtaine de boulettes)
Pour 6 personnes

Temps de préparation : 40 minutes
Temps de friture : 25 minutes

Ingrédients

1 céleri-rave (1 kg environ)
250 g de bœuf haché
1 œuf
1 cuiller à soupe bien pleine de farine ou de semoule de pain azyme
Sel

Pour la friture

1 grand bol de farine ou de semoule de pain azyme
2 œufs battus
Sel

(1) Garder les côtes (éventuellement) pour les *côtes de blettes au citron* (n° 95, p. 68).

Préparation

Couper le céleri en quatre, l'éplucher, le laver et le réduire en gros morceaux. Le faire cuire en le recouvrant d'eau pendant 30 à 40 minutes (à couvert). L'égoutter, le laisser refroidir et l'essorer vigoureusement dans un torchon propre.

Dans un récipient, l'écraser en purée et le pétrir avec la viande. Ajouter un œuf, une cuiller à soupe de farine, saler et mélanger. Si la pâte obtenue n'est pas assez consistante, mettre encore une demi-cuiller à soupe de farine (ou un peu plus).

Façonner des boulettes rondes ou ovales, assez plates d'environ 5 centimètres de diamètre et d'un centimètre d'épaisseur. Les enduire de farine et d'œuf battu. Les frire dans l'huile très chaude et les ressortir bien dorées des deux côtés.

Servir chaud ou froid. Eventuellement, réchauffer les boulettes dans un verre de sauce de poulet (à tout petit feu durant 15 minutes). Les servir accomodées ainsi, avec le riz.

130. *BOULETTES AUX POIREAUX*
Albondigas de prasa

(Environ une vingtaine de boulettes)
Pour 6 personnes

Temps de préparation : 1 heure
Temps de friture : 30 minutes

Ingrédients

1 kg de poireaux
250 g de bœuf haché
2 cuillers à soupe de mie de pain trempée et bien essorée ou 2 pommes de terre de taille moyenne épluchées et cuites à l'eau
2 œufs
Sel
1/4 de cuiller à café de poivre

Pour la friture

1 grand bol de farine
2 œufs battus
Huile

Préparation

Débarrasser les poireaux de leurs racines et de leurs feuilles flétries. Les laver, les couper finement en rondelles et les faire cuire dans l'eau légèrement salée pendant 30 minutes. Les égoutter et les essorer dans un torchon propre. Les passer à la moulinette électrique.

Les mettre dans un récipient. Ajouter la viande, la mie de pain et les œufs. Saler et poivrer. Bien pétrir. Former des boulettes ovales et assez plates d'à peu près 8 centimètres sur 5 centimètres et 1 centimètre d'épaisseur. Les enduire de farine et d'œuf battu et les colorer fortement des deux côtés en les faisant frire dans l'huile bien chaude.

Servir chaud ou froid. Les présenter à table avec des citrons coupés en deux. Les arroser d'un filet de citron avant de les manger. On peut également les réchauffer pendant 15 minutes à tout petit feu dans un verre de jus de poulet ou de viande.

131. *BOULETTES AUX CAROTTES*
Fritas de safanorya

Pour 6 personnes
(Une vingtaine de boulettes)

Temps de préparation : 1 heure
Temps de friture : 30 minutes

Ingrédients

1 kg de carottes
250 g de bœuf haché
2 œufs
1 cuiller à soupe bien pleine de farine
Sel
Poivre

Pour la friture

1 bol de farine
2 œufs battus
Huile

Préparation

Laver, éplucher et faire cuire les carottes à l'eau (à couvert) durant 45 minutes. Les égoutter, les réduire en purée et les mélanger en pétrissant avec tous les autres ingrédients.

Former des boulettes rondes et plates de 5 centimètres de diamètre et de 1 centimètre d'épaisseur.

Les faire dorer dans l'huile très chaude en les enduisant de farine et d'œuf battu.

Les manger nature toutes chaudes ou réchauffées à tout petit feu pendant 15 minutes dans un verre de sauce de poulet ou de viande.

Elles accompagnent le riz du samedi midi.

132. *BOULETTES AUX EPINARDS*
Fritas d'espinaka

Pour 6 personnes
(Une vingtaine de boulettes)

Temps de préparation : 1 heure
Temps de friture : 30 minutes

Ingrédients

1 kg d'épinards en branches ou équeutés
300 g de bœuf haché
2 œufs
1 cuiller à soupe de farine ou de semoule de pain azyme (éventuellement)
Sel

Pour la friture

1 bol de farine ou de semoule de pain azyme
2 œufs battus
Huile

Préparation

Laver les épinards et les faire blanchir pendant 10 minutes en les plongeant, hors du feu, dans de l'eau bouillante. Les égoutter, les laisser refroidir 20 minutes et bien les presser dans la paume de la main pour extraire l'eau. Les hacher à la moulinette électrique ou les écraser à la fourchette.

Les mettre dans un récipient et les pétrir avec la viande hachée. Ajouter les œufs, saler et mélanger. Verser éventuellement 1/2 à 1 cuiller à soupe de farine si la pâte obtenue est trop liquide.

Façonner et faire frire les boulettes selon la recette des *boulettes aux carottes* (n° 131, p. 90).

Les servir nature ou réchauffées à tout petit feu pendant 15 minutes dans un verre de jus de poulet ou de viande.

Elles peuvent également être consommées, revenues dans une cuiller à soupe de margarine.

Elles accompagnent le riz.

133. CROQUETTES DE POMMES DE TERRE
Fritikas de patata

Pour 4 personnes
(Environ 30 croquettes)

Temps de préparation : 50 minutes
Temps de friture : 30 minutes

Ingrédients
500 g de pommes de terre qui ne se défont pas à la cuisson
1 œuf
1/2 cuiller à café de fécule de pomme de terre
Sel

Pour la friture
1 petit bol de farine
Huile

Préparation

Laver et faire cuire les pommes de terre avec leur pelure pendant 30 à 40 minutes (couvert).

Les égoutter et les laisser refroidir durant une quinzaine de minutes. Les éplucher, les réduire en purée et les mélanger avec les autres ingrédients.

Donner la forme de toutes petites boules rondes en roulant une cuiller à café de farce entre les paumes des mains. Les enduire de farine et les faire dorer dans l'huile très chaude.

Servir chaud comme accompagnement des plats de viande ou de poulet.

134. BOULETTES DE POMMES DE TERRE A LA VIANDE
Fritas de patata kon karne

Pour 6 personnes
(Environ 25 boulettes)

Temps de préparation : 45 minutes
Temps de friture : 30 minutes

Ingrédients
1 kg de pommes de terre qui ne se défont pas à la cuisson
500 g de bœuf haché
Sel
1/4 de cuiller à café de poivre
2 œufs

Pour la friture
1 bol de farine ou de semoule de pain azyme
2 œufs battus
Huile

Préparation

Pour la cuisson des pommes de terre, voir la recette des *croquettes de pommes de terre* (n° 133).

Réduire les pommes de terre épluchées en purée. Les mélanger avec la viande et les œufs. Saler et poivrer.

Former des boulettes rondes et plates (5 centimètres de diamètre et 1 centimètre d'épaisseur).

Les faire frire dans l'huile bien chaude en les enduisant au préalable de farine et d'œuf battu.

Les consommer comme indiqué dans la recette des *boulettes aux épinards* (n° 132, p. 90).

135. *BOULETTES DE POMMES DE TERRE AU FROMAGE*
Fritas de patata kon kezo

Pour 6 personnes
(Environ 20 boulettes)

Temps de préparation : 45 minutes
Temps de friture : 25 minutes

Ingrédients

1 kg de pommes de terre qui ne se défont pas à la cuisson

1 cuiller à soupe de farine
150 g de kachkaval rapé
2 œufs
Sel

Pour la friture

1 bol de farine
Huile

Préparation

Pour la préparation de la purée, voir la recette des *croquettes de pommes de terre* (n° 133, p. 91). La mélanger avec les autres ingrédients et façonner des boulettes rondes et plates (5 centimètres de diamètre et 1 centimètre d'épaisseur).

Les enduire de farine, les dorer dans l'huile très chaude.

Servir immédiatement.

LEGUMES A LA VIANDE
Legumbres kon karne

136. *RAGOUT AUX PETITS OIGNONS SECS*
Komida de sevoya

Pour 6 personnes

Temps de préparation : 45 minutes
Temps de cuisson : 45 minutes

Ingrédients

1 kg de tout petits oignons secs
750 g de restes de viande cuite (bœuf ou agneau)
1/4 de verre d'huile
1/2 verre d'eau

5 tomates râpées ou 2 cuillers à soupe de concentré de tomate délayées dans 1 verre d'eau
2 verres de jus de viande ou d'eau
Sel

Préparation

Eplucher et laver les oignons laissés entiers. Dans la casserole de cuisson, les faire blanchir à l'huile, à l'eau et au sel en les remuant continuellement pendant 20 minutes (à feu plutôt fort), jusqu'à évaporation complète du liquide. Veiller à ne pas faire dorer les oignons et diminuer la flamme si nécessaire.

Ajouter le jus de tomate, le bouillon de viande ou l'eau ainsi que la viande cuite coupée en morceaux. Laisser mijoter (à couvert) durant 25 minutes à feu doux.

Manger chaud.

137. RAGOUT AUX ABRICOTS SECS
Komida de kayisi seko

Pour 4 personnes

Temps de préparation : 10 minutes
Temps de cuisson : 45 minutes

Ingrédients

500 g d'abricots secs trempés dans de l'eau pendant 12 heures
3 verres de l'eau de trempage
1 1/2 à 2 1/2 cuillers à soupe d'huile (plus ou moins selon le goût et la teneur en graisse du bouillon de viande ou de poulet)
1 verre de bouillon de viande ou de poulet
600 g environ de restes de bœuf, d'agneau ou de poulet (cuits)
Sel

Préparation

Laver et mettre les abricots secs à tremper durant 12 heures. Changer l'eau trois à quatre fois pendant les deux premières heures afin de pouvoir utiliser l'eau de trempage pour la cuisson.

Faire cuire les abricots dans trois verres d'eau durant 30 minutes à grand feu (couvert). Ajouter l'huile, le bouillon de viande ou de poulet. Mélanger le tout et disposer par-dessus les morceaux de

la viande choisie. Saler et laisser mijoter à feu doux (10 à 15 minutes, à découvert). Réduire la sauce.

Servir chaud.

138. RAGOUT AUX CHATAIGNES
Hamin de kastanya

Pour 4 personnes

Temps de préparation : 45 minutes
Temps de cuisson : 1 h 15

Ingrédients

750 g de viande grasse de bœuf coupée en cubes d'environ 2,5 centimètres × 4 centimètres et 1 centimètre d'épaisseur
500 g de châtaignes
2 oignons épluchés, lavés et coupés en minces lamelles
2 1/2 à 3 cuillers à soupe d'huile
2 verres d'eau
2 tomates râpées
Sel

Préparation

Mouiller les châtaignes, les entailler au sommet et les cuire au four (position gril) durant 10 à 15 minutes (les retourner à mi-temps de cuisson). Les laisser refroidir quelques minutes et les débarrasser de leur écorce et de leur peau.

Dans une cocotte, faire revenir les lamelles d'oignon à l'huile et au sel. Eviter qu'elles ne se colorent en remuant avec une cuiller (environ 4 minutes).

Ajouter la viande, les tomates râpées, l'eau et faire cuire à couvert pendant 45 minutes (feu moyen). Mettre les châtaignes, mélanger le tout et prolonger la cuisson d'une demi-heure à feu plutôt doux (couvert).

Ce plat se sert chaud le samedi midi.

GRATINS
Almodrotes

139. *GRATIN DE CAVIAR D'AUBERGINES*
Almodrote de berendjena

Pour 6 personnes

Temps de préparation : 1 heure
Temps de cuisson : 40 minutes

Ingrédients

Farce

1 kg de caviar d'aubergines
1 grande courgette (facultatif)
3 cuillers à soupe de mie de pain trempée et bien essorée
130 g de fromage blanc en purée (environ)
70 g de kachkaval râpé (environ)
2 œufs
1 cuiller à soupe de farine
Sel

Pour le roux

2 cuillers à café de farine plus 1 cuiller à soupe d'huile

Pour le dessus de la farce

Quelques coquilles de margarine
2 cuillers à soupe de kachkaval râpé

Préparation

Pour la préparation des aubergines, voir recette du *caviar d'aubergine* (n° 11, p. 22).

Eplucher, laver et faire cuire la courgette à l'eau (25 minutes, à couvert) (1).

Enlever l'eau du caviar d'aubergines et de la courgette refroidie en les pressant dans la paume de la main.

Dans un grand saladier, écraser le tout à la fourchette et mélanger. Ajouter la mie de pain bien essorée, les fromages et les œufs. Faire une purée en mêlant tous les ingrédients. Verser 1 cuiller à soupe de farine, mélanger à nouveau et saler selon le goût.

Huiler le récipient allant au four (2), le poser sur le feu. Saupoudrer de 2 cuillers à café de farine et tourner avec une cuiller en bois pendant environ 2 minutes jusqu'à obtention d'un roux. Verser la farce, la répartir uniformément, garnir de quelques coquilles de margarine et saupoudrer de fromage râpé.

(1) Il est tout aussi possible de râper la courgette crue (épluchée).
(2) Pour la cuisson des gratins, on se sert d'un grand plat circulaire en aluminium ou encore de la marmite palestinienne (voir sa description dans la recette du *soufflé de feuilles* (n° 213, p. 152). Il est également possible d'utiliser un plat à gratin. Dans ce cas, faire le roux dans une poêle et transvaser dans le plat à gratin.

Faire gratiner à four chaud (1), pendant 40 minutes ou plus jusqu'à ce que le dessus soit bien doré.

Ce plat peut se manger chaud, mais il est meilleur tiède ou froid. Il est d'usage de l'accompagner de pastèque ou parfois de melon. Il constitue une entrée.

140. *GRATIN DE COURGETTES*
Kalavasutcho
ou almodrote de kalavasa

Pour 6 personnes

Temps de préparation : 45 minutes
Temps de cuisson : 40 minutes

Ingrédients

Farce

1 kg de courgettes
3 cuillers à soupe de mie de pain trempée et bien essorée
130 g de fromage blanc en purée (environ)
70 g de kachkaval *râpé (environ)*
2 œufs
1 cuiller à soupe de farine
Sel

Pour le roux

2 cuillers à café de farine plus 1 cuiller à soupe d'huile

Pour le dessus de la farce

Quelques coquilles de margarine
2 cuillers à soupe de kachkaval *râpé*

Préparation

Il y a deux façons de préparer les courgettes. Les éplucher, les laver et les cuire à l'eau pendant 25 minutes (couvert), ou les râper crues.

(1) Chauffer préalablement le four durant 10 minutes.

Dans les deux cas, extraire l'eau des courgettes en les pressant dans la paume de la main.

Les mélanger en purée avec tous les autres ingrédients de la farce.

Pour la suite de la préparation, voir la recette précédente.

Servir tiède ou froid.

141. *GRATIN D'EPINARDS*
Antchusa d'espinaka

Pour 6 personnes

Temps de préparation : 1 heure
Temps de cuisson : 40 minutes

Ingrédients

Farce

1 kg d'épinards en branches ou équeutés (1)
3 cuillers à soupe de mie de pain trempée et bien essorée
130 g de fromage blanc en purée (environ)
70 g de kachkaval *râpé (environ)*
2 œufs
1 cuiller à soupe de farine
Sel

Pour le roux

2 cuillers à café de farine plus 1 cuiller à soupe d'huile

Pour le dessus de la farce

Quelques coquilles de margarine
2 cuillers à soupe de kachkaval *râpé*

(1) Garder, éventuellement, les queues pour les *queues d'épinards au citron* (n° 90, p. 66).

Préparation

Laver les épinards. Les laisser sécher étalés toute une nuit. Le lendemain, les couper en tout petits morceaux ou les hacher à la moulinette électrique.

On peut tout aussi bien les faire cuire à l'eau jusqu'à ramollissement (25 minutes, couvert). Les égoutter, les laisser refroidir et extraire l'eau en pressant dans la paume de la main (1). Les réduire en purée.

Pour la suite de la préparation, voir la recette du *gratin de caviar d'aubergines* (n° 139, p. 94).

Manger chaud ou tiède.

142. *GRATIN DE BLETTES*
Antchusa de pazi

Pour 6 personnes

Temps de préparation : 1 heure
Temps de cuisson : 40 minutes

Ingrédients

Farce

Les feuilles d'environ 4 kg de blettes
3 cuillers à soupe de mie de pain trempée et bien essorée
130 g environ de fromage blanc en purée
70 g environ de kachkaval *râpé*
2 œufs
1 cuiller à soupe de farine
Sel

Pour le roux

2 cuillers à café de farine plus 1 cuiller à soupe d'huile

---

(1) Une autre technique : les mettre dans un torchon propre et les essorer en tordant le linge.

Pour le dessus de la farce

Quelques coquilles de margarine
2 cuillers à soupe de kachkaval *râpé*

Préparation

Laver les feuilles, les laisser sécher étalées, toute une nuit. Le lendemain, les hacher menu.

Ou bien, les faire cuire à l'eau pendant 25 minutes à couvert. Les égoutter, les laisser refroidir et bien les presser dans la paume de la main pour extraire l'eau (ou les tordre dans un linge propre). Les réduire en purée.

Pour la suite de la préparation, voir recette du *gratin de caviar d'aubergines* (n° 139, p. 94).

Servir tiède ou froid.

143. *GRATIN DE POIREAUX*
Prasifutchi

Pour 6 personnes

Temps de préparation : 1 heure
Temps de cuisson : 40 minutes

Ingrédients

Farce

1 kg de poireaux
3 cuillers à soupe de mie de pain trempée et bien essorée
130 g de fromage blanc en purée (environ)
70 g de kachkaval *râpé (environ)*
2 œufs
1 cuiller à soupe de farine
Sel

Pour le roux

2 cuillers à café de farine plus 1 cuiller à soupe d'huile

Pour le dessus de la farce

Quelques coquilles de margarine
2 cuillers à soupe de kachkaval *râpé*

Préparation

Enlever les feuilles flétries des poireaux, les débarrasser de leurs racines, les laver, les couper en rondelles et les faire cuire à l'eau (couvert), pendant 30 minutes.

Les égoutter, les laisser refroidir et les presser dans la paume de la main pour extraire l'eau. Les réduire en purée en les écrasant à la fourchette ou en les hachant à la moulinette électrique.

Pour la suite de la préparation, voir la recette du *gratin de caviar d'aubergines* (n° 139, p. 94).

Consommer tiède.

144. *GRATIN DE CHOU-FLEUR*
Karnabit al orno

Pour 6 personnes

Temps de préparation : 40 minutes
Temps de cuisson : 40 à 45 minutes

Ingrédients

1 beau chou-fleur

Sauce béchamel

1/4 de paquet de margarine (62,5 g environ)
1 1/2 cuiller à soupe bien pleine de farine
2 verres de lait plus 1 verre de kachkaval *râpé*
2 œufs battus
Quelques coquilles de margarine
Sel
Poivre

Préparation

Cuire le chou-fleur selon la recette du *chou-fleur en salade* (n° 27, p. 30).

Disposer les bouquets cuits dans le plat à gratin (graissé au préalable).

Préparer la sauce béchamel selon description de la recette du *caviar d'aubergines à la sauce béchamel* (n° 88, p. 65), ajouter le fromage râpé et les œufs (hors du feu). Verser la sauce ainsi apprêtée sur les bouquets de chou-fleur et parsemer de quelques coquilles de margarine.

Faire dorer à four moyen durant 40 à 45 minutes (ou un peu plus).

Manger chaud.

GRATINS POUR PAQUE
Fritadas

145. *GRATIN D'EPINARDS*
Fritada d'espinaka

Pour 6 personnes

Temps de préparation : 1 heure
Temps de cuisson : 40 minutes

Ingrédients

Farce

1 kg d'épinards équeutés ou en branches
2 carrés de pain azyme extra-fin (trempés dans l'eau et bien essorés)
130 g environ de fromage blanc en purée
70 g environ de kachkaval *râpé*
2 œufs
Sel

Pour le roux

1 1/2 à 2 cuillers à café de semoule de pain azyme
1 cuiller à soupe d'huile

Pour le dessus de la farce

Quelques coquilles de margarine
2 cuillers à soupe de kachkaval *râpé*

Préparation

Laver les épinards (équeutés ou en branches). Les égoutter et les mettre à sécher (étalés) toute une nuit. Le lendemain, les hacher menu ou les passer à la moulinette électrique.

Ou bien, laver et cuire les épinards à l'eau pendant 25 minutes (à couvert). Les égoutter et bien les presser dans la paume de la main pour extraire l'eau (ou les tordre dans un linge propre). Les

réduire en purée (à la fourchette).

Dans un grand saladier, mélanger les épinards avec tous les ingrédients de la farce.

Faire roussir la semoule de pain azyme à l'huile en tournant avec une cuiller en bois (environ 2 minutes dans une poêle) et transvaser dans le plat à gratin (1). Verser la farce, la répartir uniformément, parsemer de quelques coquilles de margarine, saupoudrer de fromage râpé et faire gratiner à four chaud (préalablement chauffé) durant 45 minutes environ.

Consommer chaud, tiède ou froid.

146. *GRATIN DE BLETTES*
Fritada de pazi

Pour 6 personnes

Temps de préparation : 1 heure
Temps de cuisson : 40 minutes

Ingrédients

Farce

Les feuilles d'environ 4 kg de blettes
2 carrés de pain azyme extra-fin (trempés dans l'eau et bien essorés)
130 g environ de fromage blanc en purée
70 g environ de kachkaval *râpé*
2 œufs
Sel

(1) Si on utilise un récipient en aluminium, faire le roux dans le plat de cuisson.

Pour le roux

1 1/2 à 2 cuillers à café de semoule de pain azyme
1 cuiller à soupe d'huile

Pour le dessus de la farce

Quelques coquilles de margarine
2 cuillers à soupe de kachkaval *râpé*

Préparation

Pour la préparation des feuilles de blettes, voir recette « *gratin de blettes* » (n° 142, p. 96).

Pour la suite, voir la recette précédente (*gratin d'épinards,* n° 145).

147. *GRATIN DE POIREAUX*
Fritada de prasa
Pour 6 personnes

Temps de préparation : 1 heure
Temps de cuisson : 40 minutes

Ingrédients

Farce

1 kg de poireaux
2 carrés de pain azyme extra-fin (trempés dans l'eau et bien essorés)
130 g environ de fromage blanc en purée
70 g environ de kachkaval *râpé*
2 œufs
Sel

Pour le roux

1 1/2 à 2 cuillers à café de semoule de pain azyme
1 cuiller à soupe d'huile

Pour le dessus de la farce

Quelques coquilles de margarine
2 cuillers à soupe de kachkaval *râpé*

Préparation

Préparer les poireaux selon la recette n° 143 (*gratin de poireaux*). Extraire l'eau en les pressant dans la paume de la main.

Les hacher à la moulinette électrique et les mélanger avec les autres ingrédients composant la farce.

Pour la suite, voir la recette n° 145 (*gratin d'épinards*) et servir comme indiqué.

148. *GRATIN DE POMMES DE TERRE*
Fritada de patata
Pour 6 personnes

Temps de préparation : 45 minutes
Temps de cuisson : 40 minutes

Ingrédients

Farce

1 kg de pommes de terre qui ne se défont pas à la cuisson
2 cuillers à soupe bien pleines de semoule de pain azyme
130 g environ de fromage blanc en purée
70 g environ de kachkaval *râpé*
2 œufs
Sel

Pour le roux

1 1/2 à 2 cuillers à café de semoule de pain azyme
1 cuiller à soupe d'huile

Pour le dessus de la farce

Quelques coquilles de margarine
2 cuillers à soupe de kachkaval *râpé*

Pour le roux

1 1/2 à 2 cuillers à café de semoule de pain azyme
1 cuiller à soupe d'huile

Pour le dessus de la farce

Quelques coquilles de margarine
2 cuillers à soupe de kachkaval *râpé*

Préparation

Laver les pommes de terre et les cuire avec leur peau en les recouvrant d'eau (à couvert, pendant 30 minutes).

Les égoutter, les laisser refroidir une quinzaine de minutes, les éplucher et les réduire en purée. Les mélanger avec tous les autres ingrédients composant la farce.

Pour la suite de la préparation, voir recette nº 145 *(gratin d'épinards)*.

Manger chaud.

Préparation

Eplucher, laver et couper en quartiers le potiron. Le faire cuire à l'eau (couvert) pendant 25 minutes environ. L'égoutter, le laisser refroidir et le presser dans la paume de la main pour extraire l'eau (ou l'essorer dans un torchon propre). Le réduire en purée et le mélanger avec tous les autres ingrédients de la farce.

Pour la suite de la préparation, voir recette nº 145 *(gratin d'épinards)*.

Consommer chaud.

149. *GRATIN DE POTIRON*
    Fritada de balkabak

Pour 6 personnes

Temps de préparation : 40 minutes
Temps de cuisson : 40 minutes

Ingrédients

Farce

1 kg de potiron
2 œufs
3 cuillers à soupe de semoule de pain azyme
130 g de fromage blanc en purée
70 g de kachkaval *râpé*
Sel

LEGUMES SECS
Legumbres sekos

150. *RIZ*
Arros

Pour 6 personnes

Temps de préparation : 10 minutes
Temps de trempage : 2 heures
Temps de cuisson : 19 à 21 minutes

Ingrédients

3 verres de riz (long grain, non traité)
4 1/2 verres de bouillon de poulet ou de viande
3 à 4 cuillers à soupe d'huile (selon le goût)
Sel

Préparation

Trier le riz pour le débarrasser de ses impuretés et le mettre à tremper dans de l'eau tiède pendant 2 heures.

Le transvaser dans une passoire, le laver abondamment à l'eau froide et l'égoutter.

Dans une casserole, faire bouillir le jus de poulet (ou de viande) et l'huile mélangés (1 minute environ). Y jeter le riz en pluie, porter à ébullition (5 minutes environ, feu entre moyen et doux). Saler et mélanger le riz avec une cuiller, baisser le feu au minimum et faire cuire, couvert, à tout petit feu jusqu'à absorption totale du liquide (13 à 15 minutes).

Eteindre le feu, intercaler un torchon propre entre la casserole et le couvercle. Compléter la cuisson de cette manière en laissant le riz gonfler à la vapeur (15 à 20 minutes).

Ce procédé a l'avantage de garder le riz chaud. Consommer tout de suite de préférence.

Si on laisse tremper le riz plus de 2 ou 3 heures, le mettre alors dans de l'eau légèrement tiède.

Ajouter plus ou moins d'huile selon le goût et la teneur en graisse du bouillon.

Si nécessaire, faire fondre en mélangeant (hors du feu), une noix de margarine avant de servir le riz tout chaud.

151. *RIZ A LA SAUCE TOMATE*
Arros kon salsa de tomat

Pour 4 personnes

Temps de préparation : 15 minutes
Temps de trempage : 2 heures
Temps de cuisson : 29 à 31 minutes

Ingrédients

2 verres de riz (long grain, non traité)
6 grosses tomates râpées (3 verres de jus de tomate)
4 cuillers à soupe d'huile
Sel

Préparation

Débarrasser le riz de ses impuretés et le laisser tremper dans de l'eau tiède durant 2 heures.

Le transvaser dans une passoire, le laver à grande eau (froide) et l'égoutter.

Laver et râper les tomates afin d'en recueillir le jus (1). Verser le jus de tomates dans une casserole, ajouter l'huile, saler, couvrir et faire mijoter à feu plutôt doux pendant 10 minutes.

Laisser refroidir la sauce tomate durant 5 minutes, en mesurer 3 verres et compléter éventuellement avec de l'eau. Transvaser dans le récipient de cuisson et porter à ébullition (1 minute environ). Y jeter le riz en pluie, attendre la reprise de l'ébullition (5 minutes environ), saler selon le goût et mélanger à la cuiller. Baisser le feu au minimum et faire cuire, couvert, à tout petit feu, jusqu'à absorption totale du liquide (13 à 15 minutes).

Retirer du feu, intercaler un torchon propre entre le couvercle et la casserole, et prolonger la cuisson du riz à la vapeur durant 15 à 20 minutes.

Eventuellement, faire fondre une noix de margarine juste avant de servir.

152. *HARICOTS BLANCS SECS*
Avas

Pour 4 personnes

Temps de préparation : 15 minutes
Temps de cuisson : 2 heures environ

Ingrédients

2 verres de haricots blancs (mis à tremper dans de l'eau froide la veille au soir — environ 10 heures —)
2 oignons
1/2 verre d'huile
4 tomates râpées
6 verres d'eau
1 cuiller à café de concentré de tomate
Sel

(1) Voir p. 60.

Préparation

Eplucher, laver et émincer les oignons. Les faire revenir dans l'huile pendant 4 à 5 minutes, en tournant constamment avec une cuiller en bois. Ajouter les tomates râpées, les haricots passés à l'eau froide et égouttés, le concentré de tomate délayé dans un peu d'eau.

Couvrir d'eau, porter à ébullition et saler.

Faire cuire à feu plutôt doux, couvert, pendant environ 1 h 50.

Le temps de cuisson des haricots secs dépend de leur qualité et peut être plus ou moins long. Si nécessaire, laisser cuire une demi-heure de plus, en veillant au niveau du liquide (ajouter éventuellement de l'eau chaude en cours de cuisson).

Ce plat est très souvent servi accompagné de riz et de viande.

153. *BLE CONCASSE*
Bulgur

Pour 4 personnes

Temps de préparation : 10 minutes
Temps de cuisson : 25 minutes

Ingrédients

2 verres de blé concassé (gros grains)(2)
1 gros oignon émincé
6 cuillers à soupe d'huile
3 verres d'eau chaude ou de bouillon de viande ou de poulet ou bien de sauce tomate
Sel

(2) Il y a deux variétés de blé concassé, l'une se présentant en grains fins et l'autre en gros grains. On peut se procurer le *bulgur* dans les magasins spécialisés dans la vente des produits de la Méditerranée orientale.

Préparation

Trier les grains en les débarrassant des corps étrangers (petites pierres, racines, etc.). Laver et égoutter.

Dans une casserole, faire revenir l'oignon à l'huile et au sel (3 à 4 minutes en tournant constamment avec une cuiller en bois). Ajouter le *bulgur* et faire légèrement blondir les grains en remuant continuellement à la cuiller (2 à 3 minutes, feu plutôt fort). Baisser la flamme à son minimum, couvrir le grain d'eau et laisser cuire, couvert, à tout petit feu jusqu'à absorption complète du liquide (25 minutes environ).

Retirer du feu, intercaler un torchon propre entre le couvercle et la casserole et laisser cuire le grain à la vapeur pendant 10 minutes.

Servir chaud.

154. *LENTILLES*
Lentejas

Pour 4 personnes

Temps de préparation : 10 minutes
Temps de cuisson : 45 minutes

Ingrédients

1 verre de lentilles
1 gros oignon épluché et lavé
3 1/2 cuillers à soupe d'huile
2 cuillers à café de concentré de tomate
4 verres d'eau
1/2 tasse à café de riz cru (trié, lavé et égoutté)
Sel

Préparation

Débarrasser les lentilles des impuretés

et mettre à tremper dans de l'eau froide, toute une nuit (10 heures environ).

Les passer à l'eau froide et les égoutter.

Dans une casserole, faire revenir dans l'huile l'oignon finement émincé en lamelles, durant 4 à 5 minutes, en tournant avec une cuiller en bois.

Ajouter le concentré de tomate délayé dans un peu d'eau, les lentilles et couvrir d'eau. Poser le couvercle et faire cuire à grand feu jusqu'à ébullition (5 minutes environ). Saler (1), réduire la flamme le plus possible et laisser mijoter, à couvert, durant 25 minutes. Y jeter le riz en pluie et prolonger la cuisson (couvert) pendant environ 15 minutes (temps de cuisson du riz).

Surveiller le niveau du liquide et si nécessaire, mettre de l'eau chaude en cours de cuisson.

Manger chaud.

155. *POIS CHICHES*
Garvansos

Pour 4 personnes

Temps de préparation : 1 heure environ
Temps de cuisson : 1 h 40

Ingrédients

250 g de pois chiches mis à tremper dans de l'eau froide pendant 12 heures
1 tasse à café d'huile
1 oignon coupé en fine lamelles
5 tomates râpées
4 verres d'eau
Sel

(1) Saler les légumes secs à ébullition.

Préparation

Enlever la peau des pois trempés en les roulant dans la paume des mains (opération assez longue).

Laver et égoutter les pois chiches débarrassés de leur peau.

Dans une casserole, faire blanchir l'oignon à l'huile pendant 3 minutes en tournant avec une cuiller en bois (feu moyen). Ajouter les tomates râpées, saler et laisser mijoter durant 3 minutes avant de mettre les pois. Couvrir d'eau, porter à ébullition (10 minutes environ) et cuire (couvert) à feu doux pendant 1 h 30.

Les consommer accompagnés de riz et de viande.

Les pâtes

Makarones i fideyos

156. *PATES A LA SAUCE TOMATE*
Makarones kon salsa de tomat

Pour 2 personnes

Temps de préparation : 10 minutes
Temps de cuisson : 30 minutes

Ingrédients
250 g de spaghettis

Sauce
4 grosses tomates bien rouges râpées ou 2
verres de purée de tomates en conserve
1/4 de verre d'eau
2 cuillers à soupe d'huile
1 à 2 cuillers à soupe de margarine (selon le
goût)
Sel

Garniture
1 verre de kachkaval *râpé ou 125 g de*
fromage blanc en purée

Préparation

Dans une casserole, porter à ébullition les tomates râpées salées, l'eau et
l'huile. Laisser mijoter à feu plutôt doux
durant 15 minutes (couvert).

Cuire les pâtes dans une grande
quantité d'eau bouillante salée pendant 8
à 10 minutes en tournant de temps en
temps avec une cuiller en bois. Les
transvaser dans une passoire, les rincer à
l'eau froide et les égoutter.

Les ajouter à la sauce. Mélanger et
prolonger la cuisson durant 7 à 10 minutes (à découvert). Réduire la sauce.

Retirer du feu et faire fondre la
margarine.

Servir les pâtes garnies de *kachkaval*

râpé ou de fromage blanc écrasé en
purée (1).

157. *PATES A LA SAUCE DE VIANDE*
Makarones kon kaldo de karne

Pour 2 personnes

Temps de préparation : 10 minutes
Temps de cuisson : 30 minutes

Ingrédients
250 g de spaghettis

Sauce
1 1/2 verre de sauce de viande
2 tomates râpées ou 1 verre de purée de
tomates en conserve
1 1/2 à 2 1/2 cuillers à soupe d'huile (selon
le goût)
Sel

Préparation

Cuire les pâtes dans une grande
quantité d'eau bouillante salée pendant 8
à 10 minutes en tournant de temps en
temps avec une cuiller.

Dans une casserole, faire mijoter la
sauce tomate salée à la sauce de viande
et à l'huile durant 15 minutes à feu

_____

(1) Une autre manière de servir les pâtes :
préparer la sauce tomate selon les indications ci-
dessus (15 à 20 minutes de cuisson) ; bouillir les
pâtes dans une grande quantité d'eau bouillante
salée (10 à 12 minutes environ). Les égoutter, y
faire fondre aussitôt un bon morceau de
margarine.
Présenter les pâtes, la sauce tomate et les
fromages séparément.

plutôt doux (couvert). Ajouter les pâtes rincées à l'eau froide et égouttées. Prolonger la cuisson pendant 7 à 10 minutes, à découvert. Réduire la sauce.

Servir les pâtes en y faisant fondre éventuellement une cuiller à soupe de margarine (hors du feu).

158. *VERMICELLES OU CHEVEUX D'ANGE GRILLES*
Fideyos tostados

Pour 2 à 4 personnes

Temps de préparation : 10 minutes
Temps de cuisson : 30 minutes environ

Ingrédients

3 verres de vermicelles coupés ou de cheveux d'ange (250 g)
3 cuillers à soupe d'huile

Sauce

2 verres de sauce de viande
2 tomates bien rouges râpées ou 1 verre de purée de tomates en conserve
2 à 3 cuillers à soupe de margarine (selon le goût)
Sel

Préparation

Dans une grande poêle, faire rissoler les vermicelles non cuits dans 3 cuillers à soupe d'huile bien chaude, en tournant sans arrêt avec une cuiller jusqu'à ce qu'ils brunissent fortement (10 minutes, feu entre moyen et doux).

Par ailleurs, laisser mijoter la sauce tomate au jus de viande et au sel (10 minutes à feu plutôt doux et couvert).

Verser la sauce ainsi apprêtée sur les vermicelles et cuire à petit feu en mélangeant une ou deux fois jusqu'à absorption totale du liquide (15 minutes environ).

Servir chaud en y faisant fondre la margarine (hors du feu).

Les viandes

Karnes

VIANDES CUITES
Karnes kotchas

159. *TASS KEBAB*
Pour 6 personnes

Temps de préparation : 10 minutes
Temps de cuisson : 1 h 30 à 2 heures

Ingrédients

1,250 kg de viande de bœuf pas trop grasse
débitée en cubes de 3 centimètres environ
2 oignons
3 cuillers à soupe d'huile
4 tomates râpées
Eau
Sel

Préparation

Eplucher, laver et émincer les oignons en fines lamelles. Les faire revenir à l'huile et au sel, en remuant continuellement avec une cuiller en bois (3 à 4 minutes).

Ajouter les morceaux de viande (lavés), les tomates râpées, saler à nouveau (si nécessaire) et cuire (à couvert) sur feu moyen pendant 1 h 30 à 2 heures (1). Eventuellement, allonger la sauce avec de l'eau chaude en cours de cuisson. Laisser selon le goût plus ou moins de jus (2).

(1) Le temps de cuisson varie selon la qualité de la viande.
(2) Le bouillon de viande sert de base à la préparation du riz, des pâtes et des pommes de terre. On peut également y faire réchauffer les boulettes aux légumes.

Le *tass kebab* accompagne le riz, les pommes de terre, les pâtes, la ratatouille ou tout autre plat de légume.

160. *ROSTO*

Pour 6 personnes

Temps de préparation : 10 minutes
Temps de cuisson : pour le bœuf : 1 h 30 à 2 heures ; pour le veau : 1 h 15 à 1 h 45

Ingrédients

1 kg de viande de bœuf (noix d'épaule, gîte à la noix ou macreuse) ou de veau (noix ou sous-noix)
1 oignon entier (assez gros)
2 cuillers à soupe d'huile
3 à 4 tomates râpées
2 à 3 carottes épluchées, lavées et coupées en fines rondelles
Eau
Sel

Préparation

Première façon : Dans une marmite, mettre la viande lavée, l'oignon (épluché et lavé), les rondelles de carottes, les tomates râpées et l'huile. Saler et couvrir d'eau (à mi-hauteur). Porter à ébullition, baisser la flamme et cuire plus ou moins de temps (selon la viande) à feu moyen (couvert) (1).

Laisser peu de sauce (la réduire en découvrant en fin de cuisson).

Découper la viande en tranches fines (environ 0,3 cm d'épaisseur) après refroidissement (dans le réfrigérateur).

Servir froid ou réchauffé dans le jus.

Deuxième façon : Faire saisir toutes les faces de la pièce de viande (à l'huile et au sel). Ajouter l'oignon entier, les tomates râpées et les rondelles de carottes. Saler à nouveau (si nécessaire), couvrir d'eau (à mi-hauteur), porter à ébullition, baisser la flamme et cuire à feu moyen (couvert).

Servir comme indiqué précédemment.

161. *PULI*
Pour 4 à 6 personnes

Temps de préparation : 10 minutes
Temps de cuisson : 1 h 30 à 2 heures

Ingrédients

1 kg de jarret de bœuf débité en morceaux de 4 centimètres sur 2 centimètres environ et 1 à 1,5 cm d'épaisseur
3 cuillers à soupe d'huile
5 tomates râpées
3 verres d'eau
Sel

Préparation

Première façon : Dans une marmite,

(1) Retourner la viande à mi-cuisson.

mettre les tomates râpées (salées), l'huile et l'eau. Porter à ébullition, ajouter la viande, couvrir et faire cuire sur feu moyen pendant 1 h 30 environ.

Deuxième façon : Griller rapidement (sur un gril chauffé au préalable), les deux faces des pièces de viande et les plonger aussitôt dans le liquide bouillant. Faire cuire sur feu moyen (à couvert) pendant 1 h 30 environ.

Cuire les viandes dans un liquide froid si on veut que la sauce soit plus savoureuse, ou bouillant, pour rendre la viande plus juteuse.

162. *ENTRECOTES A L'ETOUFFEE*
Kostiyas asadas i abafadas
Pour 4 personnes

Temps de préparation : 10 minutes
Temps de cuisson : 45 minutes à 1 heure

Ingrédients

1 kg d'entrecôtes ou de basses côtes coupées en tranches fines (comme pour les grillades)

Sauce

2 cuillers à soupe d'huile
5 tomates râpées
2 verres d'eau
Sel

Préparation

Dans une casserole, porter à ébullition les ingrédients de la sauce.

Pendant ce temps, griller les entrecôtes rapidement sur un gril (chauffé au préalable, 2 minutes environ). Faire à peine saisir les deux faces et plonger les pièces de viande dans le liquide bouillant (1). Dès la reprise de l'ébullition, baisser la flamme et laisser cuire à feu doux (couvert) durant 45 minutes. Si nécessaire, allonger le jus avec un peu d'eau chaude en cours de cuisson.

163. *COTELETTES D'AGNEAU A L'ETOUFFEE*
Kostiyas de kodrero abafadas
Pour 2 personnes

Temps de préparation : 5 minutes
Temps de cuisson : 20 minutes

Ingrédients
500 g de côtelettes d'agneau
1 cuiller à soupe d'huile
3 cuillers à soupe d'eau
Sel

Préparation

Mettre les côtelettes dans une casserole. Ajouter l'huile et l'eau. Saler, couvrir et cuire à tout petit feu pendant 20 minutes. Retourner les côtelettes à mi-cuisson. Si nécessaire, allonger le liquide avec un filet d'eau chaude.

Ce plat ne doit pas contenir beaucoup de sauce. Le principe est de faire mijoter la viande tout doucement pour en extraire le jus.

On peut éventuellement remplacer les côtelettes par du filet de bœuf ou des entrecôtes.

(1) Faire pocher la viande aussitôt grillée.

164. *EPAULE D'AGNEAU*
Kodrero kotcho
Pour 6 personnes

Temps de préparation : 10 minutes
Temps de cuisson : 1 heure

Ingrédients
1,700 kg d'épaule d'agneau désossée et débitée en morceaux d'environ 10 centimètres sur 5 centimètres et 2 centimètres d'épaisseur
1 1/2 à 2 1/2 cuillers à soupe d'huile (selon le goût)
4 grosses tomates râpées
3 1/2 verres d'eau
Sel

Préparation

Laver la viande, la mettre dans une casserole avec tous les autres ingrédients.

Porter à ébullition, couvrir et faire cuire à feu modéré pendant environ 1 heure.

Servir avec des pommes de terre, du riz ou un légume vert (haricots ou petits pois).

VIANDES GRILLEES
Karnes asadas

Le temps de cuisson des viandes dépend du poids et de l'épaisseur de la pièce à griller. Faire saisir la viande sur un feu assez vif de manière à ce qu'elle garde tout son jus. La retourner sur sa deuxième face, dès l'apparition des gouttelettes de sang.

Griller les viandes sur un gril en fonte. Saler et poivrer les grillades après leur cuisson.

165. *FILET GRILLE*
Bonfile asado

Temps de cuisson : 9 minutes environ

Ingrédients

1 filet d'environ 130 g par personne
1/2 tomate par filet (facultatif)
1 pincée de thym (facultatif)

Préparation

Faire chauffer le gril durant 2 minutes environ. Griller chaque face du filet pendant 3 à 5 minutes à feu plutôt fort. Surveiller la flamme et si nécessaire, la réduire légèrement.

Accompagner éventuellement chaque filet de la moitié d'une tomate (coupée par le milieu dans le sens de la largeur) que l'on fera cuire en même temps que la viande (sur le gril). Saupoudrer le tout d'une pincée de thym.

166. *ENTRECOTES GRILLEES*
Kostiyas asadas

Temps de cuisson : 9 minutes environ

Ingrédients

1 belle entrecôte d'environ 300 g par personne

Préparation

Griller la viande plus ou moins, selon le degré de cuisson désiré, sur un gril chauffé au préalable (2 minutes environ).

167. *COTELETTES D'AGNEAU GRILLEES*
Kostiyas de kodrero asadas

Temps de cuisson : 12 minutes environ

113

Ingrédients

2 côtelettes d'environ 120 g chacune par personne

Préparation

Griller chaque face des côtelettes pendant 5 à 6 minutes sur un gril chauffé au préalable (2 minutes).

168. *BOULETTES GRILLEES*
Kyeftes asadas

(12 boulettes)
Pour 4 personnes

Temps de préparation : 15 minutes
Temps de cuisson : 7 à 10 minutes

Ingrédients

500 g de bœuf haché
4 cuillers à soupe de mie de pain (trempée et essorée)
2 à 3 cuillers à café d'huile (plus ou moins, selon la teneur en graisse de la viande)
1 oignon épluché et râpé (facultatif)
1 poignée de persil plat, lavé et haché (facultatif)
Sel

Préparation

Pétrir tous les ingrédients ensemble. En prendre une boule de la grosseur d'une noix, la rouler et l'aplatir entre les paumes des mains. Former des boulettes rondes et plates d'environ 5 à 6 centimètres de diamètre et 0,5 cm d'épaisseur.

Graisser le gril et le faire chauffer durant 2 minutes environ. Cuire chaque face à feu plutôt vif pendant 3 à 5 minutes (à couvert). Surveiller la flamme et si nécessaire la réduire.

Servir aussitôt (1).

(1) Accompagner éventuellement de 2 à 3 tomates coupées en deux (dans le sens de la largeur) et grillées en même temps que les boulettes.

BOULETTES

Kyeftes

Pétrie longuement, la viande hachée est encore plus savoureuse.

Selon sa teneur en graisse, elle supporte plus ou moins de mie de pain et d'huile. Mais, ces deux ingrédients en améliorent le goût.

169. BOULETTES A L'ETOUFFEE
Kyeftes abafadas

(12 boulettes)
Pour 4 personnes

Temps de préparation : 15 minutes
Temps de cuisson : 20 minutes

Ingrédients

Farce

500 g de bœuf haché
3 à 4 cuillers à soupe de mie de pain trempée et essorée
1/2 à 1 cuiller à soupe d'huile
Sel

Sauce

1/2 verre d'eau
3 cuillers à soupe d'huile
Sel

Préparation

Pétrir la farce et former des boulettes selon la recette des *boulettes grillées* (n° 168, p. 114).

Disposer les boulettes dans une casserole, ajouter les ingrédients composant la sauce. Couvrir et faire cuire à feu modéré, durant 20 minutes (retourner les boulettes à mi-temps de cuisson).

Manger chaud.

170. BOULETTES
A LA SAUCE TOMATE
Kyeftes kon salsa de tomat

(12 boulettes)
Pour 4 personnes

Temps de préparation : 20 minutes
Temps de cuisson : 35 minutes

Ingrédients

Farce

500 g de bœuf haché
3 à 4 cuillers à soupe de mie de pain (trempée et essorée)
1/2 à 1 cuiller à soupe d'huile
Sel

Sauce

5 tomates râpées ou 2 cuillers à soupe de concentré de tomate délayées dans 2 verres d'eau
3 cuillers à soupe d'huile
Sel

Préparation

Préparer les boulettes selon la recette des *boulettes grillées* (n° 168, p. 114).

Verser les ingrédients de la sauce dans une casserole. Porter à ébullition et laisser mijoter à feu doux durant 15 minutes (à couvert). Ajouter les boulettes et faire cuire, couvert, à feu modéré pendant 20 minutes (retourner les boulettes à mi-temps de cuisson). Servir chaud.

171. *PETITES BOULETTES A LA SAUCE TOMATE ET AU CITRON*
Kyeftikas kon salsa de tomat i limon

(Environ 30 boulettes)
Pour 2 à 4 personnes

Temps de préparation : 25 minutes
Temps de cuisson : 35 minutes

Ingrédients

Farce

250 g de bœuf haché
1 1/2 à 2 cuillers à soupe de mie de pain (trempée et essorée)
1/2 à 1 cuiller à café d'huile
1/4 de tasse à café de riz cru (trié, lavé et égoutté)
1/2 tasse à café de persil plat (lavé et haché)
Sel

Sauce

5 tomates râpées ou 2 cuillers à soupe de concentré de tomate délayé dans 2 verres d'eau
2 cuillers à soupe d'huile
1 1/2 citron
Sel

Préparation

Pétrir dans un récipient le bœuf haché avec la mie de pain. Ajouter les autres ingrédients de la farce et bien mélanger.

Prendre une cuiller à café de farce (pas trop pleine), la rouler entre les paumes des mains et lui donner la forme d'une petite boule ronde de la grosseur d'une bonne noisette. Recommencer jusqu'à épuisement de la farce.

Dans une casserole, porter la sauce à ébullition et laisser mijoter à feu moyen pendant 15 minutes (couvert). Mettre les boulettes et faire cuire à feu modéré durant 20 minutes en les retournant à mi-temps de cuisson (à couvert).

Consommer chaud.

172. *PETITES BOULETTES*
A LA SAUCE AIGRE
Kyeftes kon agristada

Pour 2 à 4 personnes

Temps de préparation : 20 minutes
Temps de cuisson : 30 minutes

Ingrédients

Farce

250 g de bœuf haché
1 1/2 à 2 cuillers à soupe de mie de pain
trempée et essorée
1/2 à 1 cuiller à café d'huile
Sel

Sauce

1 1/2 verre d'eau
2 cuillers à soupe d'huile
1 1/2 citron
1 œuf battu dans 4 cuillers à café de jus de citron plus 5 cuillers à soupe de la sauce de cuisson

Préparation

Pétrir ensemble les ingrédients de la farce. En prendre 1 1/2 cuiller à café, la rouler entre les paumes des mains et lui donner la forme d'une boule tout à fait ronde.

Faire cuire les boulettes à l'eau, à l'huile et au sel pendant 15 minutes à feu moyen (couvert). Baisser la flamme à son minimum, ajouter dans la sauce le jus d'1 1/2 citron (1). Laisser mijoter à tout petit feu durant 4 à 5 minutes. En attendant, battre l'œuf avec 4 cuillers à café de jus de citron et 5 cuillers à soupe de la sauce de cuisson. Incorporer ce mélange dans la sauce en tournant

(1) Si nécessaire, allonger la sauce avec un filet d'eau. Attendre la reprise de l'ébullition avant d'y incorporer l'œuf.

continuellement avec une fourchette (2) jusqu'à épaississement du liquide (4 à 7 minutes à tout petit feu).

Retirer du feu et servir aussitôt.

173. *METS D'AIL*
Sofrito

(Environ 30 boulettes)
Pour 2 à 4 personnes

Temps de préparation : 35 minutes
Temps de cuisson : 25 minutes

Ingrédients

Farce

250 g de bœuf haché
1 1/2 à 2 cuillers à soupe de mie de pain
(trempée et essorée)
1/2 à 1 cuiller à café d'huile
Sel

Sauce

2 grosses têtes d'ail (séparées en gousses, épluchées et lavées)
2 cuillers à soupe d'huile
3 citrons
1 1/2 verre d'eau
1 cuiller à café de sucre en poudre
Sel

Préparation

Pour la préparation des boulettes (voir recette des *petites boulettes à la sauce tomate et au citron* (n° 171, p. 116).

Mettre les boulettes dans une casserole, ajouter tous les ingrédients de la sauce, couvrir et laisser cuire à petit feu durant 25 minutes environ (retourner les boulettes à mi-temps de cuisson).

Servir chaud.

(2) Ecarter les boulettes pour ne pas les écraser.

174. *METS D'AIL AUX PRUNES AIGRES-DOUCES*
Sofrito kon avramila

(Environ 30 boulettes)
Pour 2 à 4 personnes

Temps de préparation : 1 heure
Temps de cuisson : 30 minutes

Ingrédients

Farce

250 g de bœuf haché
1 1/2 à 2 cuillers à soupe de mie de pain trempée et essorée
1/2 à 1 cuiller à café d'huile
Sel

Sauce

2 grosses têtes d'ail (séparées en gousses, épluchées et lavées)
350 g de prunes golden (1)
2 cuillers à soupe d'huile
1 à 2 citrons (selon le goût)
1 cuiller à café de sucre en poudre
Sel

Préparation

Extraire le jus des prunes selon le procédé décrit dans la recette des *poissons aux prunes aigres-douces* (n° 65, p. 50).

Façonner des boulettes comme dans la recette précédente (n° 173).

Dans une casserole, porter à ébullition tous les ingrédients de la sauce et faire cuire durant 10 minutes (couvert) à feu moyen. Ajouter les boulettes, couvrir et laisser mijoter pendant 20 minutes (à petit feu). Retourner les boulettes à mi-temps de cuisson. Si nécessaire, allonger la sauce avec un filet d'eau.

Manger chaud.

(1) Voir leur description dans la recette n° 65 *(poissons aux prunes aigres-douces)* p. 50.

175. *BOULETTES FRITES A LA SAUCE TOMATE*
Yullikas fritas kon salsa de tomat

(Environ 15 boulettes)
Pour 4 personnes

Temps de préparation : 45 minutes
Temps de cuisson : 20 minutes

Ingrédients

500 g de bœuf haché
3 cuillers à soupe de mie de pain trempée et essorée
1 poignée de persil plat, lavé et haché
1 oignon râpé
2 œufs
Sel

Pour la friture

Huile
1 bol de farine (facultatif)

Sauce

5 tomates râpées
Sel

Préparation

Pétrir les ingrédients de la farce et façonner des boulettes rondes d'environ 5 centimètres de diamètre et 2 centimètre d'épaisseur.

Frire les boulettes dans l'huile très chaude (enduites ou non de farine). Les retirer une fois bien saisies des deux côtés.

Dans une casserole, laisser mijoter les tomates râpées durant 15 minutes. Ajouter les boulettes (1) et les faire pocher à petit feu pendant 10 minutes (couvert).

Servir chaud.

(1) Refroidies pendant une demi-heure à la température ambiante.

176. *BOULETTES AUX RAISINS ACIDES*
(au verjus)
Kyeftikas kon agras

(Environ 15 boulettes)
Pour 2 à 4 personnes

Temps de préparation : 40 minutes
Temps de cuisson : 20 minutes

Ingrédients

Farce

250 g de bœuf haché
1 1/2 à 2 cuillers à soupe de mie de pain trempée et essorée
1/2 à 1 cuiller à café d'huile
Sel

Sauce

400 g de raisins verts et acides (1)
2 cuillers à soupe d'huile
1/4 à 1/2 cuiller à café de sucre en poudre
Sel

Préparation

Extraire le jus des raisins et préparer la sauce selon la recette des *poissons aux raisins acides* (n° 66, p. 50).

Faire des boulettes comme dans la recette des *petites boulettes à la sauce aigre* (n° 172, p. 117).

Faire pocher les boulettes dans la sauce durant 20 minutes (à couvert et à petit feu). Retourner les boulettes à mi-temps de cuisson (2).

Consommer chaud.

(1) Voir leur description dans la recette des *poissons aux raisins acides* (n° 66, p. 50).
(2) Si nécessaire, allonger la sauce avec un filet d'eau.

Les abats

Menudaya

177. *FOIE FRIT*
Igado frito
Pour 2 personnes

Temps de préparation : 5 minutes
Temps de friture : 8 minutes environ

Ingrédients
2 tranches de foie (fines et de taille moyenne, de génisse ou d'agneau)

Pour la friture
1/2 verre de farine
Huile
Sel

Préparation

Enduire de farine les deux faces de chaque tranche.
Faire chauffer de l'huile dans une poêle (2 minutes environ). Frire chaque côté durant environ 4 minutes (à feu moyen). Le temps de cuisson varie en fonction de l'épaisseur de la tranche.
Saler et servir aussitôt.

178. *ROGNONS D'AGNEAU GRILLES*
Bobrekes asados
Temps de cuisson : 10 minutes environ

Ingrédients
2 rognons d'agneau par personne

Préparation

Faire couper chaque rognon par le milieu en deux rondelles égales, sans toutefois les détacher complètement. Ne pas enlever la graisse.
Griller chaque face durant 4 à 5 minutes, en commençant par le côté gras sur un gril chauffé au préalable pendant 2 minutes environ.
Servir immédiatement. Saler à table.

179. *RIS D'AGNEAU GRILLES*
Molejas asadas
Temps de cuisson : 5 minutes environ

Ingrédients
5 ris d'agneau par personne

Préparation

Laver, égoutter les ris d'agneau. Graisser la surface du gril et faire chauffer durant 2 minutes environ.
Griller chaque face pendant environ 2 minutes.
Servir aussitôt et saler à table.

180. *RIS D'AGNEAU*
A LA SAUCE TOMATE
Molejas kon salsa de tomat
Pour 4 personnes

Temps de préparation : 10 minutes
Temps de cuisson : 30 minutes

Ingrédients
500 g de ris d'agneau
4 tomates râpées
3 cuillers à soupe d'huile
1 verre d'eau
Sel

Préparation

Dans une casserole, faire revenir les tomates râpées à l'huile et au sel durant 5 minutes (à feu doux).

Ajouter 1 verre d'eau chaude et 5 minutes après, les ris d'agneau lavés et égouttés. Couvrir et laisser cuire à feu moyen pendant 20 minutes.

Servir chaud arrosé de son jus et accompagné de riz ou de pommes de terre.

181. *AMOURETTES* *OU MOELLE EPINIERE FRITE*
Mundarihi

Pour 4 personnes

Temps de préparation : 25 minutes
Temps de friture : 15 minutes

Ingrédients
500 g de moelle épinière de bœuf
Eau
Sel

Pour la friture
2 œufs battus
1 bol de farine
Huile

Préparation

Enlever la gaine de peau et les membranes entourant la moelle, en la maintenant sous le robinet d'eau froide. Laver abondamment et faire cuire la moelle pendant 10 minutes dans une grande quantité d'eau bouillante salée.

Egoutter et laisser refroidir durant 30 minutes environ.

Découper la moelle en tronçons d'à peu près 10 à 15 centimètres. Enduire de farine et d'œuf battu, et rouler sur lui-même chaque tronçon (donner la forme d'une rose). Frire des deux côtés dans une poêle contenant de l'huile bien chaude.

Saler et servir chaud ou tiède.

182. *LANGUE FROIDE*
Aluenga yelada

Pour 8 personnes

Temps de préparation : 20 minutes
Temps de cuisson : 2 heures

Ingrédients
1 langue de bœuf de 1,500 kg environ
Eau
Sel

Préparation

Laver et mettre la langue dans une casserole. Saler et couvrir d'eau. Faire cuire à feu moyen pendant 2 heures (à couvert). Veiller au niveau du liquide en cours de cuisson et si nécessaire, ajouter de l'eau chaude, de façon à ce que la langue baigne dans son jus. Vérifier la cuisson, en enfonçant la pointe d'un couteau.

Retirer du feu, égoutter et laisser refroidir pendant 10 à 15 minutes. Enlever la peau.

Une fois bien refroidie (1), découper

(1) Entreposer la langue dans le réfrigérateur et l'y laisser pendant environ 2 heures.

la langue en biais, en tranches fines d'environ 0,3 cm d'épaisseur.

Servir bien frais.

183. *LANGUE A LA SAUCE TOMATE ET AU POIVRE*
Aluenga kon salsa de tomat i pimyenta

Pour 8 personnes

Temps de préparation : 20 minutes
Temps de cuisson : 2 h 35

Ingrédients

1 langue de bœuf de 1,500 kg environ
Eau
Sel

Sauce

5 tomates râpées
1 1/2 à 2 cuillers à soupe d'huile (selon le goût)
1/2 cuiller à café de poivre noir (moulu)
Sel

Préparation

Faire cuire la langue comme dans la recette précédente (n° 182). Egoutter, laisser refroidir 15 minutes et enlever

la peau. Garder au réfrigérateur. Découper (en biais) la langue bien refroidie en tranches d'environ 0,3 cm d'épaisseur.

Faire mijoter les tomates râpées (salées et poivrées) à l'huile (15 minutes, à couvert). Ajouter les tranches de langue, couvrir et laisser cuire à feu doux pendant 20 minutes.

Servir chaud, accompagné éventuellement de céleri-rave (1).

184. *FRESSURE D'AGNEAU DE LAIT*
Armi de kodrero

Pour 8 personnes

Temps de préparation : 1 h 15
Temps de cuisson : 45 minutes

Ingrédients

1 fressure d'agneau de lait comprenant le mou, le foie, la rate et le cœur.
300 g d'oignons nouveaux
1/2 tasse à café d'huile
5 tomates râpées
2 pommes de terre
Sel

Préparation

Il est d'usage de préparer ce plat une fois l'an pendant la Pâque juive.

Il est conseillé d'employer seulement de la fressure d'agneau de lait.

Faire séparer de l'aorte chaque partie de l'ensemble. Utiliser une petite partie du mou.

(1) Voir la recette n° 89, p. 65.

Faire bouillir le mou dans de l'eau bouillante salée durant 10 minutes. L'égoutter, le laisser refroidir une vingtaine de minutes et le débiter en cubes d'environ 2 à 3 centimètres.

Griller rapidement chaque face du foie coupé en tranches et le débiter également en cubes de 2 à 3 centimètres.

De même, couper le cœur (débarrassé de sa graisse) et la rate crus en cubes (environ 3 centimètres).

Eplucher, laver et couper les pommes de terre en gros cubes.

Dans une grande marmite, faire revenir les oignons épluchés, lavés et coupés en dés (1) à l'huile et au sel (environ 5 minutes). Ajouter les tomates râpées et laisser mijoter pendant 10 minutes (couvert). Mettre le mou et faire cuire à feu doux, à couvert, durant 15 minutes.

Verser le foie, le cœur, la rate et les pommes de terre. Prolonger la cuisson pendant 25 minutes à petit feu (couvert).

Mélanger le tout, corriger l'assaisonnement, réduire la sauce et servir chaud, accompagné de pommes de terre ou de riz.

185. *PIEDS DE MOUTON*
Komida de patchas de kodrero
Pour 4 personnes

Temps de préparation : 40 minutes
Temps de cuisson : 1 h 30

Ingrédients
6 pieds de mouton (ou d'agneau)
Eau
3 tomates râpées plus 1 verre d'eau
1 à 2 cuillers à soupe d'huile
2 à 3 pommes de terre
Sel

(1) Se servir du tiers de la partie verte.

Préparation

Nettoyer les pieds de mouton selon la recette de la *soupe de pieds de mouton* (n° 79, p. 57).

Faire bouillir les pieds lavés dans une grande quantité d'eau bouillante salée pendant 1 heure.

Par ailleurs, laisser mijoter les tomates râpées à l'huile et au sel (10 minutes). Ajouter les pieds égouttés et les pommes de terre (épluchées, lavées et coupées en quatre). Verser un verre d'eau et prolonger la cuisson (feu moyen) durant 30 minutes. Si nécessaire, allonger la sauce avec de l'eau. Servir chaud.

VARIANTE A LA SAUCE BLANCHE
Patchas de kodrero kon agristada
Pour 4 personnes

Temps de préparation : 40 minutes
Temps de cuisson : 1 h 30

Ingrédients
6 pieds de mouton
Eau
Sel

Sauce
2 cuillers à soupe d'huile
2 citrons
2 cuillers à soupe de farine
2 verres d'eau
Sel
2 œufs battus

Préparation

Nettoyer les pieds de mouton selon la recette n° 79 *(soupe de pieds de mouton)*.

Bouillir les pieds de mouton lavés dans une grande quantité d'eau bouillante salée (1 h 30).

Dans un récipient, délayer la farine dans l'eau, et battre avec les autres ingrédients de la sauce ; cuire à tout petit feu en tournant continuellement avec une fourchette jusqu'à léger épaississement (environ 15 minutes). Retirer du feu et en napper les pieds de mouton.

Servir chaud ou tiède.

Le poulet

Poyo i gayna

186. *POULET A LA COCOTTE*
   Poyo ou Yarka

Pour 4 personnes

Temps de préparation : 10 minutes
Temps de cuisson : 45 minutes à 1 heure

Ingrédients

1 poulet vidé avec ses abats de 1,200 kg
environ (gésier, foie, cœur et cou)
3 cuillers à soupe d'huile
3 tomates râpées
4 verres d'eau
Sel

Préparation

Première façon :

Présenter rapidement sur une flamme toutes les faces du poulet pour brûler les restes de plumes. Les ôter. Laver le poulet dans de l'eau salée, le rincer et le mettre dans une casserole. Ajouter l'huile et les tomates râpées. Saler et couvrir d'eau.

Laisser cuire à grand feu jusqu'à ébullition (environ 10 minutes), puis à feu moyen pendant environ 45 minutes (à couvert) (1). Retourner le poulet à mi-cuisson et vérifier la cuisson en enfonçant la pointe d'un couteau.

Le poulet sera servi découpé en morceaux et arrosé de son jus. Il accompagne le riz et constitue le plat traditionnel du vendredi soir et du samedi midi. Son bouillon sert de base à

de nombreuses préparations et s'utilise tout spécialement pour la cuisson du riz.

Deuxième façon :

Nettoyer le poulet comme ci-dessus. Faire revenir toutes les faces du poulet dans l'huile (5 à 7 minutes). Le cuire en ajoutant tous les autres ingrédients comme dans la recette précédente.

187. *POULE*
   Gayna

Pour 6 personnes

Temps de préparation : 10 minutes
Temps de cuisson : 2 h 45

Ingrédients

1 poule vidée avec ses abats (environ 1,600 kg)
1 cuiller à soupe d'huile (éventuellement)
2 tomates râpées
6 verres d'eau
Sel

Préparation

Préparer la poule exactement comme le poulet. Laisser cuire à feu moyen durant 2 h 30 à 3 heures, dès ébullition.

(1) Le temps de cuisson du poulet peut être plus ou moins long selon sa qualité.

188. *BOULETTES DE POULET OU DE POULE*

Klenyes (ou) *Kyeftes de gayna*
(Une vingtaine de toutes petites boulettes.)

Pour 4 personnes

Temps de préparation : 30 minutes
Temps de cuisson : 11 minutes

Ingrédients

2 blancs crus d'un petit poulet (1 kg environ)
1 verre d'amandes mondées et moulues
1 cuiller à soupe de mie de pain mouillée et essorée
1 œuf
Sel

Sauce

2 verres de jus de poulet

Préparation

Faire enlever par le boucher les deux blancs. Les hacher à la moulinette électrique et les mélanger en pétrissant à tous les autres ingrédients. Se mouiller les mains (prévoir une soucoupe remplie d'eau devant soi) et former de toutes petites boulettes rondes (1 cuiller à café de farce).

Porter la sauce à ébullition, y plonger les boulettes et les faire pocher (couvert) pendant 10 minutes en les retournant à mi-cuisson.

Les manger chaudes. Ce plat se sert le samedi midi.

VARIANTE A LA SAUCE AIGRE
Klenyes kon agristada

Temps de préparation : 30 minutes
Temps de cuisson : 15 à 20 minutes

Ingrédients

Sauce

2 verres de jus de poulet
1 1/2 citron
Sel
1 œuf battu dans 3 cuillers à soupe de jus de citron et 4 à 5 cuillers à soupe de la sauce de cuisson

Préparation

Suivre la recette précédente pour la préparation des boulettes.

Dans une casserole, porter à ébullition les jus de poulet et de citron, y plonger les boulettes et les laisser pocher (à couvert) durant 8 à 10 minutes en les retournant à mi-temps de cuisson.

Réduire la flamme au plus bas et 3 minutes après, incorporer dans la sauce jusqu'à épaississement (4 à 6 minutes à tout petit feu), l'œuf battu au jus de citron et au bouillon de cuisson (progressivement tout en tournant continuellement avec une fourchette).

Servir chaud.

La pâtisserie

Pastitcheria

PATE BRISEE
Koza de orno

A partir de la pâte brisée, on confectionne de nombreuses pâtisseries faisant le délice des amateurs.

Nous avons divisé cette rubrique en deux parties. Dans la première, on trouvera la pâtisserie salée qui peut se consommer à l'heure de l'apéritif, en entrée, au petit déjeuner ou au goûter. Dans la deuxième, nous avons rassemblé la pâtisserie se servant avec le café au lait du matin, à l'heure du thé et préparée également à l'occasion de certaines fêtes.

Leur exécution demande un certain savoir-faire qui s'acquiert avec l'expérience.

Une fois prêts et refroidis, les chaussons, biscuits ou petits gâteaux se conservent dans des boîtes métalliques.

A – PATISSERIE SALÉE

Tapadas

La *tapada* est une pâtisserie se présentant sous la forme d'une tourte. Elle peut se servir en entrée, accompagnée d'œufs durs et de pastèque. Elle se mange tiède. Elle constitue le petit déjeuner du samedi matin, à la sortie de l'office.

189. TAPADA
AU CAVIAR D'AUBERGINES
Tapada de berendjena

Pour 8 personnes

Temps de préparation : 1 h 15
Temps de cuisson : 30 à 45 minutes

Ingrédients

Pâte

2 tasses à café d'huile
1 1/2 tasse à café d'eau
3 verres de farine
Sel

Farce

800 g environ de caviar d'aubergines (1)
70 g environ de fromage blanc en purée
100 g environ de kachkaval râpé
1 œuf
Sel

Décoration
3 cuillers à soupe de kachkaval râpé

(1) Pour la préparation du caviar d'aubergines, voir recette n° 11, p. 22.

132

Préparation

Préparer la farce en prenant soin d'extraire l'eau des aubergines. Pour cela, les presser dans la paume de la main ou faire évaporer l'eau en les faisant cuire (transvasées dans une casserole) pendant 5 à 10 minutes sur feu moyen. Ecraser les aubergines en purée et les mélanger avec les autres ingrédients.

Dans une casserole, verser 2 tasses à café d'huile et 1 1/2 tasse à café d'eau. Porter à ébullition (1 minute) et transvaser dans une bassine. Saler, laisser refroidir 5 minutes et ajouter la farine progressivement en tournant d'abord avec une fourchette, puis en pétrissant (vers la fin) jusqu'à obtention d'une pâte molle et homogène, d'aspect huileux et qui ne colle pas aux doigts. Tremper les mains dans la farine si la pâte y adhère et continuer à la travailler.

Partager la pâte en trois boules égales. Se servir comme récipient d'un moule pâtissier d'environ 22 centimètres de diamètre. Le saupoudrer d'une petite cuiller à soupe de farine (ou le graisser) et étaler sur toute la surface de son fond les deux boules de pâte en aplatissant avec la paume de la main (ou y faire rouler un verre). Ne pas laisser d'interstice. Relever les bords à 1,5 cm de hauteur. Répartir uniformément la farce par-dessus.

Façonner, dans la troisième boule, des rubans de 2 centimètres de largeur environ et 0,2 centimètre d'épaisseur. Les poser sur la préparation parallèlement ou en les croisant de manière à former des bandes ou des losanges de farce. S'il reste des morceaux de pâte, les raccorder aux bords.

Parsemer 3 cuillers à soupe de *kachkaval* râpé et faire dorer à four chaud (préalablement chauffé pendant 10 minutes) durant 30 à 45 minutes (1).

190. *TAPADA AUX POMMES DE TERRE*
Tapada de patata

Pour 8 personnes

Temps de préparation : 45 minutes
Temps de cuisson : 30 à 45 minutes

Ingrédients

Pâte
2 tasses à café d'huile
1 1/2 tasse à café d'eau
3 verres de farine
Sel

Farce
4 pommes de terre assez grosses (épluchées, lavées et cuites à l'eau)
140 g environ de fromage blanc en purée
50 g environ de kachkaval *râpé*
2 œufs
Sel

Décoration
3 cuillers à soupe de kachkaval *râpé*

Préparation

Préparer la pâte selon recette précédente (nº 189)

Mélanger en purée tous les ingrédients composant la farce.

---

(1) Un petit « truc » pour vérifier la cuisson de la *tapada* : donner une tape dans le récipient ; la tourte cuite à point se décolle.

Etaler les deux tiers de la pâte sur toute la surface du fond d'un moule pâtissier (saupoudré d'une petite cuiller à soupe de farine ou graissé) d'à peu près 22 centimètres de diamètre. Répartir uniformément la farce par-dessus. Former dans le tiers restant de la pâte, des rubans de 2 centimètres de largeur et 0,2 centimètre d'épaisseur. Parsemer 3 cuillers à soupe de *kachkaval* râpé et faire dorer à four chaud (1) durant 30 à 45 minutes.

Préparation

Faire cuire à l'eau durant 20 minutes les épinards coupés en morceaux (équeutés et lavés). Egoutter, laisser refroidir une vingtaine de minutes, extraire l'eau en pressant dans la paume de la main et les hacher (à la fourchette ou à la moulinette électrique). Les mélanger avec tous les autres ingrédients de la farce.

Pour le reste de la préparation, voir recette n° 189 *(Tapada au caviar d'aubergines)*.

191. *TAPADA AUX EPINARDS*
Tapada d'espinaka

Pour 8 personnes

Temps de préparation : 1 heure
Temps de cuisson : 30 à 45 minutes

Ingrédients

Pâte

2 tasses à café d'huile
1 1/2 tasse à café d'eau
3 verres de farine
Sel

Farce

1 kg d'épinards
140 g environ de fromage blanc en purée
50 g de kachkaval *râpé environ*
1 œuf
Sel

Décoration

3 cuillers à soupe de kachkaval *râpé*

192. *TAPADA AUX BLETTES*
Tapada de pazi

Pour 8 personnes

Temps de préparation : 1 heure
Temps de cuisson : 30 à 45 minutes

Ingrédients

Pâte

2 tasses à café d'huile
1 1/2 tasse à café d'eau
3 verres de farine
Sel

Farce

2 kg de blettes
70 g environ de fromage blanc en purée
100 g environ de kachkaval *râpé*
1 œuf
Sel

Décoration

3 cuillers à soupe de kachkaval *râpé*

Préparation

Détacher les feuilles des blettes de

(1) Chauffé au préalable (10 minutes).

leurs côtes. Enlever les grosses nervures. Laver et cuire les feuilles coupées en morceaux (20 minutes). Egoutter, laisser refroidir et extraire l'eau en pressant dans la paume de la main (ou en tordant dans un linge propre). Hacher à la moulinette électrique (ou au couteau) et mélanger en purée avec tous les autres ingrédients de la farce.

Pour le reste de la préparation, voir recette nº 189 *(tapada au caviar d'aubergines)*.

Borekas pasteles et empanadas

Ce sont des pâtés ayant la forme d'un petit chausson ou d'un triangle que l'on farcit de fromage, de caviar d'aubergine, de viande hachée, de poisson, voire même de noix ou d'amandes (1).

193. *CHAUSSONS AU FROMAGE*
   Borekas de kezo

(Une quinzaine de chaussons d'environ 7 centimètres sur 3,5 centimètres)

Temps de préparation : 1 heure
Temps de cuisson : 30 à 45 minutes

Ingrédients

Pâte

1 1/2 verre de farine
1/4 de paquet de margarine (62,5 g environ)
1/4 de verre d'huile
1/4 de verre d'eau
Sel

Farce

2 pommes de terre (épluchées, lavées et cuites à l'eau)
90 g environ de fromage blanc
60 g environ de kachkaval *râpé*
2 œufs
Sel

Décoration

1 jaune d'œuf
3 cuillers à soupe de kachkaval *râpé*

(1) Voir recette nº 199, p. 140.

Préparation

Préparer la farce en écrasant en purée tous ses ingrédients.

Dans une bassine, verser sur la margarine écrasée à la fourchette, l'huile et l'eau mélangées et portées à ébullition (environ 1 minute). Saler et tourner avec la fourchette jusqu'à dissolution de la margarine.

Ajouter progressivement la farine d'abord en touillant (à la fourchette), puis en pétrissant (vers la fin) jusqu'à obtention d'une pâte molle et homogène, d'aspect huileux et qui ne colle pas aux doigts. Tremper les mains dans la farine si la pâte adhère et continuer à la travailler.

Prélever un morceau de pâte de la grosseur d'une petite pomme de terre (l'équivalent d'une cuiller à soupe pas trop pleine), l'étaler avec le fond d'un verre et découper avec ses bords. Enlever ce qui dépasse et distendre la pâte afin d'obtenir un rond d'à peu près 7 centimètres de diamètre et 0,3 à 0,5 centimètre d'abaisse (de l'épaisseur du lobe de l'oreille). Si pendant cette opération, il est difficile de manier le disque (car la pâte peut être trop molle), le rouler dans la farine (1) ou y plonger les doigts et pétrir à nouveau.

Mettre au milieu du rond 2 cuillers à café bien pleines de farce et plier en deux de façon à réunir les deux bords en recouvrant la farce. Aplatir les bords avec le doigt et les ourler en pinçant entre le pouce et l'index (se contenter d'aplatir et d'ourler si cela paraît compliqué). Donner la forme d'un petit chausson (ou d'un croissant de lune) aux pointes relevées. Veiller à ce que la farce ne dépasse pas et faire attention à ne pas laisser d'interstice dans la pâte.

Recommencer jusqu'à épuisement de la farce et disposer les chaussons sans les coller sur une tôle saupoudrée d'une cuiller à soupe rase de farine.

Badigeonner les pâtés de jaune d'œuf et parsemer de *kachkaval* râpé. Faire dorer à four moyen (préalablement chauffé pendant 10 minutes) durant 30 à 45 minutes environ.

Vérifier la cuisson des chaussons en donnant une petite tape dans le réci-

pient : les *borekas* cuites à point se décollent d'elles-mêmes.

Laisser refroidir à la température ambiante avant de les consommer.

194. *CHAUSSONS AU CAVIAR D'AUBERGINE*
Borekas de berndjena

(Une quinzaine de chaussons d'environ 7 centimètres sur 3,5 centimètres)

Temps de préparation : 1 h 30
Temps de cuisson : 30 à 45 minutes

Ingrédients

Pâte

1 1/2 verre de farine
1/4 de paquet de margarine (62,5 g environ)
1/4 de verre d'huile
1/4 de verre d'eau
Sel

Farce

500 g de caviar d'aubergine
100 g environ de fromage blanc
50 g environ de kachkaval *râpé*
Sel

0,5 d'abaisse

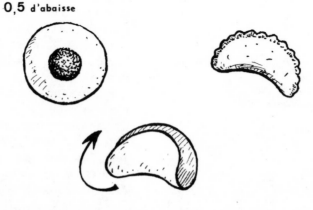

(1) Mettre devant soi un bol rempli de farine.

Décoration

1 jaune d'œuf
3 cuillers à soupe de kachkaval *râpé*

Préparation

Griller l'aubergine et enlever sa peau calcinée selon recette n° 11, p. 22 *(Caviar d'aubergine)*. Egoutter la pulpe d'aubergine. En extraire l'eau en la pressant dans la paume de la main ou en la faisant cuire dans une casserole (feu moyen) jusqu'à évaporation du liquide (5 minutes environ).

Ecraser le caviar d'aubergine à la fourchette et mélanger en purée avec tous les autres ingrédients de la farce.

Pour la suite de la préparation, suivre les indications de la recette précédente en remplissant chaque chausson de 2 cuillers à café bien pleines de farce.

195. *TRIANGLES A LA VIANDE*
Pasteles de karne

(6 triangles d'environ 9 centimètres de côté)

Temps de préparation : 1 heure
Temps de cuisson : 40 à 45 minutes

Ingrédients

Pâte

1 1/2 verre de farine
1/4 de paquet de margarine (62,5 g environ)
1/4 de verre d'huile
1/4 de verre d'eau
Sel

Farce

250 g de bœuf haché

2 cuillers à soupe de mie de pain trempée et essorée
1 oignon, épluché, lavé et râpé (1) revenu dans 2 cuillers à soupe d'huile
1 œuf plus 1 blanc d'œuf
1 tasse à café de persil plat (lavé et haché)
Sel
Poivre

Préparation

Préparer la farce selon la recette des *triangles à la viande* dans le chapitre de la *pâte feuilletée* (n° 211, p. 152).

Pétrir la pâte comme dans la recette n° 193 *(chaussons au fromage)*. La partager en six boules égales. Abaisser chaque boule à 0,5 cm environ d'épaisseur et donner la forme d'un triangle d'environ 11 centimètres de côté. Mettre au milieu le sixième de la farce et relever les bords de manière à l'emprisonner.

Disposer les *pasteles* (sans les coller) sur une tôle saupoudrée d'une cuiller à soupe de farine (rase) et cuire à four moyen (préalablement chauffé pendant 10 minutes) durant 40 minutes ou un peu plus (2).

Laisser refroidir à la température ambiante avant de les consommer.

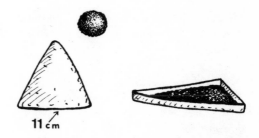

11 cm

(1) Se servir des gros trous d'une râpe ordinaire.
(2) En donnant un petit coup sur le récipient de cuisson, les *pasteles* cuits à point se décollent.

196. TRIANGLES AU POISSON
Empanadas de pichkado

(6 triangles d'environ 9 centimètres de côté)

Temps de préparation : 1 heure
Temps de cuisson : 40 minutes

Ingrédients

Pâte

1 1/2 verre de farine
1/4 de paquet de margarine (62,5 g environ)
1/4 de verre d'huile
1/4 de verre d'eau
Sel

Farce

200 à 250 g de poisson (mulet ou maquereau)
2 cuillers à soupe de mie de pain trempée dans le bouillon du poisson et essorée
1/2 verre de cernaux de noix (les passer à la moulinette électrique)
1 œuf plus 1 blanc d'œuf
1 tasse à café de persil plat (lavé et haché)
Sel
Poivre

Préparation

Ecailler, vider, laver et cuire le poisson pendant 20 minutes dans 1 verre d'eau froide (à couvert et à petit feu). Le laisser refroidir pendant quelques minutes. En ôter tête, peau, queue et arêtes. Recueillir la chair et l'écraser à la fourchette.

Pétrir ensemble les ingrédients de la farce.

Préparer la pâte selon la recette des *chaussons au fromage* (n° 193) et la partager en six boules égales.

Former, remplir et cuire les triangles au poisson selon la recette des *triangles à la viande* (n° 195).

Boyos i halkas

197. PETITS GATEAUX
AU FROMAGE
Boyos de kezo

(30 petits gâteaux d'environ 2,5 centimètres de diamètre et 0,5 centimètre d'épaisseur)

Temps de préparation : 20 minutes
Temps de cuisson : 30 à 40 minutes

Formule 1 :

Ingrédients

Pâte

1 1/2 verre de farine
1/4 de paquet de margarine (62,5 g environ)
1/4 de verre d'huile
1/4 de verre d'eau
1 verre de kachkaval *râpé*
Sel

Décoration

1 jaune d'œuf
2 cuillers à soupe de kachkaval *râpé*

Préparation

Pétrir la pâte selon recette « *chaussons au fromage* » n° 193, en y ajoutant 1 verre de *kachkaval* râpé.

Prélever une petite boule (1 cuiller à café), et former un rond d'à peu près 2,5 cm de diamètre et 0,5 cm d'épaisseur (pour manipuler aisément la boule, la rouler dans la farine et la travailler à nouveau). Continuer jusqu'à épuisement de la pâte. Disposer les *boyos* au fur et à mesure (sans les coller) sur une tôle saupoudrée d'une petite cuiller à soupe de farine. Badigeonner de jaune d'œuf, parsemer de *kachkaval* râpé et faire dorer à four moyen (préalablement chauffé 10 minutes) pendant 30 à 40 minutes.

Laisser refroidir avant de les consommer.

Formule 2 :

(Une quinzaine de petits gâteaux de 2,5 cm de diamètre et 0,5 cm d'épaisseur)

Temps de préparation : 15 minutes
Temps de cuisson : 40 minutes

Ingrédients

Pâte

1 verre de farine
1/4 de paquet de margarine (62,5 g environ)
3/4 de cuiller à soupe de jus de citron
1/2 tasse à café d'eau froide
1 tasse à café de kachkaval *râpé*
Sel

Décoration

1 jaune d'œuf
1 cuiller à soupe de kachkaval *râpé*

Préparation

Dans une bassine, écraser la margarine à la fourchette et la mélanger avec le jus de citron, l'eau et le *kachkaval* râpé (saler).

Ajouter la farine progressivement d'abord en tournant avec la fourchette, puis pétrir jusqu'à obtention d'une pâte molle et qui n'adhère pas aux doigts (sabler la pâte de quelques pincées de farine et la travailler à nouveau, si nécessaire).

Prélever de petites boules (1 cuiller à café) et former des ronds d'environ 2,5 cm de diamètre et 0,5 cm d'épaisseur.

Pour manipuler aisément la boule de pâte, la rouler dans la farine (en prévoir devant soi) ou y tremper les doigts. Donner la forme requise en pétrissant à nouveau.

Disposer les *boyos* au fur et à mesure (sans les coller) sur une plaque à four (saupoudrée d'une cuiller à soupe rase de farine). Badigeonner de jaune d'œuf et parsemer de *kachkaval* râpé.

Faire dorer à four moyen (préalablement chauffé pendant 10 minutes) durant 40 minutes environ.

Laisser refroidir à la température ambiante avant de les servir.

198. *ANNEAUX AU SESAME*
Halkas : yoro dale

(Une trentaine d'anneaux, d'environ 5 centimètres de diamètre et 1 centimètre d'épaisseur)

Temps de préparation : 30 minutes
Temps de cuisson : 40 à 45 minutes

Ingrédients

Pâte

25 g de levure de bière dissoute dans 3/4 de verre d'eau tiède
200 g de margarine

139

1 cuiller à soupe d'huile
1 cuiller à café de sel (rase)
4 verres de farine
1 1/2 verre de lait
4 cuillers à soupe de graines de sésame

Préparation

Dans une bassine, écraser à la fourchette la margarine. Ajouter la levure de bière dissoute dans l'eau, l'huile, le sel et la farine. Pétrir jusqu'à obtention d'une pâte souple et qui ne colle pas aux doigts.

Poser un couvercle sur le récipient contenant la pâte. Recouvrir avec une couverture en laine et laisser reposer pendant environ 2 heures.

Prélever des petites boules (1 cuiller à café pleine). Rouler entre les paumes des mains et donner la forme d'un anneau (environ 5 centimètres de diamètre et 1 centimètre d'épaisseur). Si la manipulation de la pâte paraît difficile, tremper les mains dans la farine (ou y rouler la boule) (1) et pétrir à nouveau pour donner la forme requise.

Mettre le lait dans un bol et les graines de sésame dans une assiette. Plonger les anneaux dans le lait et enduire une des faces de graines de sésame. Disposer au fur et à mesure (sans coller) sur une tôle saupoudrée d'une petite cuiller à soupe de farine. Cuire à four plutôt doux (chauffé au préalable pendant 10 minutes) durant 40 à 45 minutes.

Retirer les anneaux blancs (vérifier la cuisson en y enfonçant la pointe d'un cure-dent qui doit ressortir sans qu'y adhère la moindre particule de pâte).

Laisser refroidir à la température ambiante avant de les servir.

B - PATISSERIE SUCRÉE

Les *borekas* sucrées, les *dedos* et les *orejas* se servent tout particulièrement à *Pourim*. Cette fête commémore les événements qui permirent au peuple juif d'être sauvé du massacre, grâce à l'intercession de la reine Esther auprès de son époux, Assuérus, roi de Perse.

Les *dedos* et les *orejas* représentent les doigts et les oreilles d'Haman (ministre du roi), qui s'était juré d'exterminer tous les Juifs du royaume.

199. *CHAUSSONS AUX NOIX
OU AUX AMANDES
Borekas de mwez o de almendra*

(11 à 13 borekas d'environ 6,5 cm sur 3,5 cm)

*Temps de préparation : 1 heure
Temps de cuisson : 40 à 50 minutes*

(1) Disposer d'un bol rempli de farine devant soi.

Ingrédients

Pâte

1 1/2 verre de farine
3/4 de verre d'huile
1/2 verre d'eau
1 pincée de sucre

Farce (aux noix)

1 verre 3/4 d'amandes passées à la moulinette électrique
1 à 2 cuillers à café de cannelle en poudre (selon le goût)
2 à 3 1/2 cuillers à soupe de sucre en poudre (selon le goût)
1/2 écorce d'orange ou 1 pomme râpée (1)
1 œuf
1 blanc d'œuf ou 3 à 4 cuillers à café bien pleines de confiture (2)

Farce (aux amandes)

1 verre 3/4 d'amandes mondées et passées à la moulinette électrique
1 à 2 cuillers à café de cannelle en poudre (selon le goût)
2 à 3 cuillers 1/2 à soupe de sucre en poudre (selon le goût)
1 pomme râpée (3) (éventuellement)
1 œuf
1 blanc d'œuf ou 3 à 4 cuillers à café bien pleines de confiture (4)

Décoration

1 jaune d'œuf (facultatif)

---

(1) Laver l'orange à l'eau vinaigrée, la rincer, découper et faire bouillir la pelure durant 15 à 20 minutes. Egoutter, essorer et passer à la moulinette électrique. Il est également possible de hacher la peau de l'orange sans la cuire. Ou bien, éplucher, râper et essorer la pomme.

(2) Le secret d'une *boreka* réussie tient à l'onctuosité de sa farce. Si nécessaire ajouter au blanc d'œuf 1 à 2 cuillers à café de confiture. Toutefois, une farce liquide n'est pas utilisable. Dans ce cas, augmenter la quantité de noix ou d'amandes (plus 1/4 de verre environ).

(3) Eplucher, râper et essorer la pomme.

(4) Voir note 2.

Préparation

Préparer une farce onctueuse en mêlant les différents ingrédients.

Dans une casserole, porter à ébullition l'eau, l'huile et le sucre (1 minute environ) (5). Transvaser dans une bassine et laisser refroidir durant 5 minutes. Verser la farine progressivement, d'abord en tournant avec une fourchette, ensuite en pétrissant (vers la fin) jusqu'à obtention d'une pâte molle et homogène, d'aspect huileux, qui n'adhère pas aux doigts (si elle est collante, tremper les mains dans la farine et continuer à la travailler, ou bien sabler la pâte de quelques pincées de farine).

Prélever un morceau de la grosseur d'une bonne noix (l'équivalent d'une cuiller à soupe pas trop pleine), l'aplatir avec le fond d'un verre (ou en y faisant rouler le verre), découper avec les bords du verre, enlever ce qui dépasse et distendre la pâte pour obtenir un disque d'à peu près 0,3 à 0,5 cm d'abaisse et de 6,5 à 7 centimètres de diamètre. Si pendant cette opération, il est difficile de manipuler le rond, le rouler dans la farine (en prévoir un bol) ou bien y plonger les doigts. Pétrir à nouveau et donner la forme requise (6).

Mettre au milieu du disque 2 cuillers à café bien pleines de farce, plier en deux de façon à réunir les deux bords en recouvrant entièrement la farce. Aplatir les bords avec le doigt et les ourler en pinçant entre le pouce et l'index (se contenter d'aplatir et de relever, si cela

---

(5) Mettre une toute petite pincée de sucre pour obtenir une pâte homogène.

(6) Ne pas hésiter à travailler longuement chaque rond pour pouvoir le manipuler facilement.

paraît compliqué). Donner la forme d'un petit chausson aux pointes relevées ou d'un croissant de lune. Veiller à ce que la farce ne déborde pas et ne pas laisser d'interstice dans la pâte (voir dessin de la recette nº 193).

Recommencer jusqu'à épuisement de la farce et disposer les pâtés (sans les coller) sur une tôle saupoudrée d'une cuiller à soupe de farine (rase). Badigeonner de jaune d'œuf (éventuellement) et faire cuire à four moyen (chauffé au préalable 10 minutes) pendant 40 à 45 minutes environ. Pour vérifier la cuisson des chaussons, donner une petite tape dans le récipient : les *borekas* cuites à point se décollent d'elles-mêmes.

Laisser refroidir à la température ambiante avant de les servir.

200. *DOIGTS FARCIS*
AUX NOIX OU AUX AMANDES
Dedos de Aman

(8 doigts d'à peu près 12 centimètres sur 3 centimètres et 1 centimètre d'épaisseur)

Temps de préparation : 40 minutes
Temps de cuisson : 40 à 45 minutes

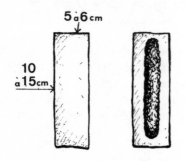

Ingrédients

Pâte

3 verres de farine
1 1/2 verre d'huile
1 1/4 d'eau
1 pincée de sucre

Farce (aux noix)

1 1/2 verre de noix passées à la moulinette électrique
1 à 2 cuillers à café de cannelle en poudre (selon le goût)
2 à 3 1/2 cuillers à soupe de sucre en poudre (selon le goût)
1/2 écorce d'orange ou 1 pomme rapée
1 œuf
1 blanc d'œuf ou 3 à 4 cuillers à café de confiture

Farce (aux amandes)

1 1/2 verre d'amandes mondées et passées à la moulinette électrique
1 à 2 cuillers à café de cannelle en poudre (selon le goût)
2 à 3 1/2 cuillers à soupe de sucre en poudre (selon le goût)
1 pomme râpée (éventuellement)
1 œuf
1 blanc d'œuf ou 3 à 4 cuillers à café de confiture

Décoration

1 jaune d'œuf (facultatif)

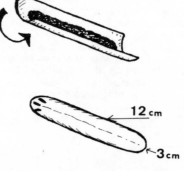

Préparation

Préparer une farce onctueuse en mêlant les différents ingrédients.

Pétrir la pâte selon recette précédente : *chaussons aux noix ou aux amandes.* Prélever une boule de la grosseur d'une bonne pomme de terre (1 cuiller à soupe très pleine de pâte). La rouler dans la farine ou la travailler en y trempant les mains. L'abaisser à environ 0,5 centimètre d'épaisseur et donner la forme d'un rectangle (10 à 12 centimètres sur 5 à 6 centimètres).

Mettre au milieu (dans le sens de la longueur) 2 à 3 cuillers à café bien pleines de farce. Joindre les deux bords (côté long), recouvrir complètement la farce et donner la forme d'un doigt (12 centimètres sur 3 centimètres) en traçant des traits (1) (au couteau, sans l'enfoncer) sur une des extrémités.

Recommencer jusqu'à épuisement de la farce.

Disposer (sans coller) au fur et à mesure sur une tôle saupoudrée d'une petite cuiller à soupe de farine. Cuire à four moyen (préalablement chauffé, 10 minutes) durant 40 à 50 minutes environ. Pour vérifier la cuisson des *dedos,* donner une petite tape sur le récipient : les pâtés cuits à point se décollent d'eux-mêmes.

Laisser refroidir à la température ambiante avant de les consommer.

201. *BISCUITS*
Biskotchos
(Environ 25 biscuits)

Temps de préparation : 20 minutes
Temps de cuisson : 25 à 35 minutes

Formule 1 :

Ingrédients

2 verres de farine
125 g de margarine
2 tasses à café de sucre en poudre
1 œuf
1 cuiller à café de levure chimique

Préparation

Dans une bassine, écraser la margarine à la fourchette. Ajouter successivement et tout en mélangeant au fur et à mesure, l'œuf, le sucre et la levure chimique. Bien mêler le tout (à la fourchette) pour avoir une crème homogène.

Incorporer la farine progressivement, d'abord en tournant avec une fourchette, puis en pétrissant (vers la fin). On obtient ainsi une pâte souple. Si elle reste collante, la sabler de quelques pincées de farine et continuer à la malaxer (pas trop).

Prélever des boules de la grosseur d'une noix (1 cuiller à café) les rouler dans la farine (ou y tremper les mains) et donner des formes différentes : anneaux *(roskas),* croissants, ronds (2), losanges, cœurs, tresses *(kokitas)* et étoiles (au choix).

---

(1) De 0,5 à 1 centimètre de longueur.

(2) Dessiner sur la surface des traits parallèles ou perpendiculaires (au couteau sans l'enfoncer).

Disposer les petits gâteaux (à bonne distance des uns des autres) sur une plaque à four saupoudrée d'une cuiller rase de farine. Cuire à four (1) plutôt doux (entre doux et moyen) durant 25 à 35 minutes. Retirer les biscuits sans leur faire prendre couleur (vérifier la cuisson en y enfonçant la pointe d'un cure-dent qui doit ressortir sans qu'y adhère la moindre particule de pâte).

Laisser refroidir à la température ambiante avant de les servir.

Formule 2 :

Ingrédients

2 verres de farine
125 g de margarine
2 tasses à café de sucre en poudre
1 œuf
1 cuiller à café de levure chimique
1/2 zeste râpé de citron

Préparation

Procéder et cuire selon la formule précédente en incorporant dans la pâte le zeste d'un demi-citron (râpé).

202. *BISCUITS AU LAIT ET AU CITRON*
Biskotchos kon letche i limon
(Environ une vingtaine de biscuits)

Temps de préparation : 20 minutes
Temps de cuisson : 25 à 35 minutes

Ingrédients

2 verres de farine
125 g de margarine
1/2 verre de sucre en poudre
1 œuf
1/2 tasse à café de lait
1/2 sachet de sucre vanillé (2)
1/2 cuiller à café de levure chimique
1/2 zeste râpé de citron

Préparation

Dans une bassine, écraser la margarine à la fourchette. Ajouter et mélanger au fur et à mesure l'œuf, le sucre, le lait, la vanille, la levure chimique et le zeste râpé de citron. Battre le tout à la fourchette de manière à obtenir une crème homogène. Si nécessaire, éliminer les grumeaux. Incorporer la farine progressivement. Pétrir et former des biscuits selon recette précédente (n° 201).

203. *OREILLES D'HAMAN*
Orejas de Aman

(Environ une quinzaine d'oreilles de 3,5 centimètres sur 6 centimètres et 1 centimètre d'épaisseur)

Temps de préparation : 15 minutes
Temps de cuisson : 25 à 35 minutes

Ingrédients

Les mêmes que ceux d'une des trois formules de biscuits (n° 201, 1 ou 2 ; n° 202)

---

(1) Chauffé au préalable pendant 10 minutes.

(2) Le sachet de vanille pesant 7,5 grammes.

Préparation

Pétrir comme dans la recette concernée et former des oreilles de 3,5 centimètres sur 6 centimètres et 1 centimètre d'épaisseur. Faire cuire à four plutôt doux (entre doux et moyen) durant 25 à 35 minutes. Retirer les oreilles sans trop leur faire prendre couleur.

204. *PETITS GATEAUX AU POIVRE*
Boyos de pimyenta

(15 gâteaux d'environ 6 centimètres de diamètre et 1,5 centimètre d'épaisseur)

Temps de préparation : 15 minutes
Temps de cuisson : 20 à 25 minutes

Ingrédients

Pâte
3 verres de farine
1 1/4 verre d'huile
1 verre d'eau
1 pincée de sel
2 cuillers à soupe de sucre en poudre
1/2 cuiller à café de poivre noir (moulu)

Décoration
2 cuillers à café de sucre en poudre

Préparation

Dans une bassine, verser l'huile, l'eau, le sel, le sucre et le poivre. Mélanger et ajouter progressivement la farine jusqu'à obtention d'une pâte molle et homogène, grasse et qui ne colle pas aux doigts. Bien pétrir (tremper les mains dans la farine si la pâte adhère et malaxer à nouveau).

Prélever une boule de la grosseur d'une bonne noix, la rouler entre les paumes des mains, l'aplatir et donner la forme d'un disque d'environ 6 centimètres de diamètre et 1,5 centimètre d'épaisseur. Recommencer jusqu'à épuisement de la pâte. Disposer les *boyos* au fur et à mesure (sans les coller) sur une tôle saupoudrée d'une petite cuiller à soupe de farine.

Dessiner (1) sur la surface de chaque gâteau des traits perpendiculaires de façon à former des losanges de 0,5 à 1 centimètre de côté. Saupoudrer de sucre.

Faire dorer à four chaud (chauffé au préalable pendant 10 minutes) durant 20 à 25 minutes.

Laissez refroidir avant de les servir.

(1) Au couteau, sans l'enfoncer.

PATE FEUILLETEE
La feuille de fila

C'est une pâte très mince qui s'achète toute prête et qui est employée dans la confection des *mezes,* entrées et desserts.

Il existe deux variétés de *fila* dans le commerce. L'une se présente sous la forme de feuilles extrêmement fines et rectangulaires (1). L'autre est beaucoup plus épaisse, soit ronde, soit rectangulaire (2).

C'est cette seconde catégorie, commercialisée sous l'aspect d'un disque de 60 centimètres de diamètre qui est couramment utilisée en Turquie, pour l'élaboration de la plupart des recettes, sauf pour les *diblas,* qui requièrent la qualité la plus fine de *fila*.

Nous indiquons dans chaque recette la variété dont nous nous sommes servie.

Le fromage blanc est essentiellement fait à base de lait de brebis. Il est recommandé pour son goût très particulier, mais on peut le remplacer par du fromage blanc demi-sel. Le *kachkaval* s'apparente au cantal (3).

Il est possible de préparer à l'avance *filas* et *bulemas* et de les garder dans le réfrigérateur un ou deux jours avant de les frire (à condition d'utiliser la qualité épaisse de *fila*).

Pour la friture, faire bien chauffer de l'huile dans une poêle (environ 2 minutes) et faire rapidement dorer les pâtés de chaque côté. Ne jamais laisser fumer la poêle, régler la flamme si nécessaire. Ajouter suffisamment d'huile en renouvelant cette opération au cours de la friture pour éviter que les *filas* et *bulemas* brûlent.

Bulemas

Ce sont des pâtés bourrés de farce (en forme de cylindre roulé sur lui-même), ce qui leur donne l'apparence d'une rose.

Il est conseillé de se servir de la qualité la plus épaisse de feuille de *fila*. Sinon, recourir à la *fila* fine, en doublant les feuilles afin d'empêcher qu'elles ne se déchirent en les enroulant.

(1) Un paquet contient 24 feuilles d'environ 40 centimètres sur 35 centimètres et pèse 500 grammes.
(2) Un paquet contient 5 feuilles d'environ 70 centimètres sur 35 centimètres et pèse 500 grammes.
On peut se procurer les deux variétés de *filas* dans les magasins spécialisés dans la vente des produits de la Méditerranée orientale.
(3) Le fromage blanc et le *kachkaval* sont également en vente dans les magasins spécialisés.

205. *ROSES AUX POMMES DE TERRE*
Bulemas de patata

(12 bulemas, pour 4 personnes)

Temps de préparation : 1 heure
Temps de friture : 15 minutes

Ingrédients

Une feuille et demie de grosse fila
Huile pour la friture

Farce

4 pommes de terre moyennes (épluchées, lavées et cuites à l'eau)
120 g environ de fromage blanc
80 g environ de kachkaval *râpé*
2 œufs
Sel

Préparation

Préparer la farce en réduisant en purée et en mélangeant les pommes de terre, les fromages et les œufs. Saler selon le goût.

Prendre la feuille de *fila*. Découper dans le sens de la largeur en la pliant en quatre, des bandes de 8,5 centimètres de largeur. Faire de même avec la demi-feuille en la pliant en deux. On obtient ainsi en tout, 12 bandes de plus ou moins 8,5 centimètres de largeur et de 35 centimètres de longueur.

Poser chaque bande horizontalement devant soi sur la table de cuisine. Etaler au milieu, à 6 ou 7 centimètres des deux

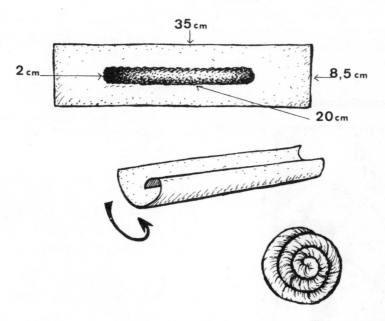

bords, 3 cuillers à café de farce de façon à former un ruban d'à peu près 2 centimètres de largeur et 20 centimètres de longueur.

Enrouler chaque bande à partir de son côté le plus long, en commençant soit par le bas, soit par le haut, de manière à lui donner la forme d'un cylindre de la longueur de la bande (35 centimètres). Rouler le cylindre sur lui-même et coller la pointe qui reste détachée par une pression des doigts (la plonger dans de l'eau et prévoir pour cela un verre rempli d'eau devant soi).

Faire dorer chaque face des pâtés dans l'huile très chaude. Servir immédiatement.

Il est possible de faire cuire les *bulemas* au four. Graisser une tôle, y disposer les pâtés. Garnir d'une coquille de margarine et d'une demi-cuiller à café de *kachkaval* râpé chaque rose, et faire colorer à four chaud pendant 40 à 45 minutes.

206. *ROSES AU CAVIAR D'AUBERGINE*
Bulemas de berendjena
(12 bulemas, pour 4 personnes)

Temps de préparation : 1 h 20
Temps de friture : 15 minutes

Ingrédients
Une feuille et demie de grosse fila
Huile pour la friture

Farce :
500 g environ de caviar d'aubergine (1)
130 g environ de fromage blanc
90 g environ de Kachkaval *râpé*
Sel

Préparation

Bien égoutter le caviar d'aubergine, extraire l'eau en pressant dans la paume de la main. Faire une purée en mélangeant tous les ingrédients entrant dans la composition de la farce. Saler selon le goût.

Pour la suite de la préparation, voir la recette précédente : *« roses aux pommes de terre »*.

207. *ROSES AUX EPINARDS*
Bulemas d'espinaka
(12 bulemas, pour 4 personnes)

Temps de préparation : 1 heure
Temps de friture : 15 minutes

(1) Voir recette du *caviar d'aubergine* (n° 11, p. 22).

Ingrédients

Une feuille et demie de grosse fila
Huile pour la friture

Farce

500 g environ d'épinards (1)
130 g environ de fromage blanc
90 g environ de kachkaval *râpé*
1 œuf
Sel

Préparation

Equeuter, laver, couper en petits morceaux et faire cuire les épinards à l'eau (25 minutes).

Egoutter, laisser refroidir et extraire l'eau (en pressant les épinards dans la paume de la main). Ecraser à la fourchette et mélanger en purée avec les autres ingrédients de la farce. Saler selon le goût.

Pour le reste de la préparation, voir recette des *roses aux pommes de terre* (n° 205, p. 147).

(1) Eventuellement, utiliser des épinards en conserve. Les rincer et les presser dans la paume de la main pour extraire l'eau.

208. *ROSES AUX BLETTES*
Bulemas de pazi

(12 bulemas, pour 4 personnes)

Temps de préparation : 1 heure
Temps de friture : 15 minutes

Ingrédients

Une feuille et demie de grosse fila
Huile pour la friture

Farce

2,500 kg environ de blettes
130 g environ de fromage blanc
90 g environ de kachkaval *râpé*
1 œuf
Sel

Préparation

Utiliser seulement les feuilles des blettes et procéder comme dans la recette précédente en remplaçant les épinards par les blettes.

Pour la confection des *bulemas,* voir recette des *roses aux pommes de terre* (n° 205, p. 147).

Triangles de fila

Les triangles ont l'aspect d'une amulette. On peut les confectionner indifféremment avec la variété de *fila* fine ou épaisse.

209. *TRIANGLES AU FROMAGE*
Filikas

(Environ 60 pièces, pour 10 personnes)

Temps de préparation : 40 minutes
Temps de friture : 30 minutes

Ingrédients

Un demi-paquet de feuilles de fila *fines (la demi-feuille mesurant 40 centimètres sur 17 centimètres)*
Huile pour la friture

Farce

*300 g de pommes de terre (épluchées, lavées
et cuites à l'eau)
100 g environ de fromage blanc
70 g environ de* kachkaval *râpé
2 œufs
1/2 tasse à café (ou plus) de persil lavé et
haché (facultatif)
Sel*

Préparation

Préparer la farce en faisant une purée
avec les pommes de terre, les fromages
et les œufs. Saler selon le goût.

Etaler le demi-paquet de feuilles de
fila, empilées les unes sur les autres, sur
une surface plate. Découper dans le sens
de la longueur, des bandes de 5 centimètres de largeur et de la longueur des
feuilles. On obtient ainsi des lanières
d'environ 5 centimètres sur 40 centimètres.

Mettre à la base d'une bande déroulée
verticalement devant soi, 1 cuiller à café
de farce, rabattre à gauche en commençant par le côté court et en ramenant la
pointe extrême sur le côté long. Replier
à droite et ainsi de suite jusqu'au bout de
façon à former un triangle d'à peu près
5 centimètres de côté.

Recommencer avec chaque bande
jusqu'à épuisement de la farce. On peut
obtenir environ 60 pièces.

Faire rapidement dorer les deux faces
des triangles dans l'huile très chaude.
Servir aussitôt.

Les *filikas* sont un des *mezes* (hors
d'œuvre) des plus appréciés.

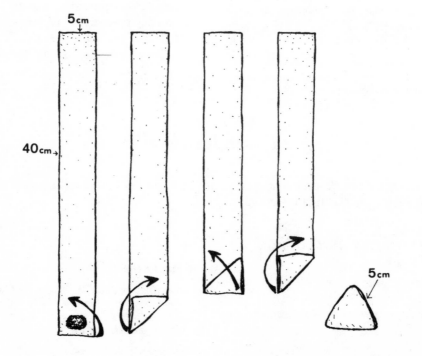

210. *TRIANGLES AU POTIRON*
Filas de balkabak
(Environ 70 pièces, pour 10 personnes)

Temps de préparation : 40 minutes
Temps de friture : 30 minutes

Ingrédients
4 feuilles de grosse fila *(la feuille mesurant 70 centimètres sur 35 centimètres)*
Huile pour la friture

Farce
650 g environ de potiron
100 g environ de fromage blanc
70 g environ de kachkaval *râpé*
1 œuf

Préparation

Enlever l'écorce, ôter les graines et les fibres du potiron. Le laver, le couper en quartiers et le cuire à l'eau (20 minutes), l'égoutter et le laisser refroidir pendant environ une demi-heure. Extraire l'eau du potiron en l'essorant dans un linge propre.

Transvaser les quartiers de potiron dans un saladier et les mélanger en purée avec les autres ingrédients de la farce.

Découper dans le sens de la largeur des feuilles de *fila,* des bandes de 4 centimètres de largeur et de 35 centimètres de longueur. Remplir chaque lanière d'une cuiller à café de farce et former des triangles d'à peu près 4 centimètres de côté (se reporter à la recette des *triangles au fromage,* n° 209).

Les *filas* au potiron sont servies à *Roch Hachanah* (la fête du Nouvel an).

211. *TRIANGLES A LA VIANDE*
Filas de karne
(16 triangles, pour 8 personnes)

Temps de préparation : 40 minutes
Temps de friture : 25 minutes

Ingrédients
4 feuilles de grosse fila *(la feuille mesurant 70 centimètres sur 40 centimètres)*
Huile pour la friture

Farce
450 g de bœuf haché
3 cuillers à soupe de mie de pain trempée et essorée
2 oignons plus 2 cuillers à soupe d'huile
1 œuf
1 1/2 tasse à café de persil plat lavé et haché
Sel
Poivre

Préparation

Eplucher, laver et râper les oignons (à la râpe à fromage). Les faire revenir dans l'huile (dans une grande poêle), à tout petit feu (à couvert et en tournant de temps en temps) pendant environ 12 minutes. Eviter de les faire roussir.

Dans un grand saladier, mélanger la viande, la mie de pain et le persil. Saler et poivrer. Bien pétrir le tout et incorporer en dernier l'œuf.

Verser la farce dans la poêle contenant les oignons et bien mélanger tous les ingrédients. Faire revenir la farce, à feu plutôt doux pendant 6 à 7 minutes, en remuant constamment et en écrasant à la fourchette jusqu'à cuisson complète de la viande.

Retirer du feu et laisser refroidir durant une quinzaine de minutes.

Plier chaque feuille de *fila* en quatre (dans le sens de la longueur) et découper 4 bandes d'environ 10 centimètres de largeur. On obtient ainsi en tout 16 bandes de 10 centimètres sur 70 centimètres.

Dérouler verticalement chaque bande devant soi et mettre à 4 centimètres au-dessus de la base 3 cuillers à café très pleines de farce.

Plier chaque lanière de la façon décrite dans la recette des *triangles au fromage* (n° 209) et former des triangles d'à peu près 10 centimètres de côté.

Faire frire les triangles dans l'huile très chaude et servir aussitôt.

212. *TRIANGLES DE FEUILLES AUX NOIX*
Filas de mwez

Pour 8 personnes
(Environ 40 pièces)

Temps de préparation : 20 minutes
Temps de friture : 25 minutes

Ingrédients
8 demi-feuilles de fila *fine (la demi-feuille mesurant 40 centimètres sur 17 centimètres)*
Huile pour la friture

Farce
2 1/2 verres de cernaux de noix
1 à 1 1/2 cuiller à soupe de cannelle en poudre (selon le goût)
2 à 3 cuillers à soupe de sucre en poudre (selon le goût)
2 œufs

Décoration
1 tasse à café de sucre glace

Préparation

Piler les noix au mortier (1), de manière à obtenir des grains assez gros. Sinon, les passer à la moulinette électrique. Les mettre dans un grand saladier et les mélanger à tous les autres ingrédients composant la farce.

Découper des bandes de *fila* de 5 centimètres de largeur et de 40 centimètres de longueur (dans le sens de la longueur de chaque feuille). Mettre 1 cuiller à café de farce à l'extrémité de chaque lanière et former un triangle (voir recette n° 209, *triangles au fromage*). Recommencer jusqu'à épuisement de la farce.

Faire dorer rapidement les deux côtés dans de l'huile très chaude.

Servir chaud ou tiède en saupoudrant de sucre glace.

213. *SOUFFLE AUX FEUILLES DE FILA*
Sutlu borek ou pastel de oja

Pour 6 personnes

Temps de préparation : 15 minutes
Temps de cuisson : 45 minutes

Ingrédients
6 feuilles de fila *ou 12 demi-feuilles (la feuille mesurant 40 centimètres sur 35 centimètres)*

Pour le roux
2 cuillers à café rases de farine plus 1 cuiller à soupe d'huile

(1) On peut aussi les écraser avec une pierre, en les mettant dans un linge propre. Les noix passées à la moulinette sont réduites en poudre ; on en sent moins le goût.

Farce

1/4 de litre de lait (froid ou tiède)
130 g environ de fromage blanc
100 g environ de kachkaval *râpé*
2 œufs
1 pincée de sel
Plus quelques coquilles de margarine

Préparation

Ce plat se prépare traditionnellement dans une marmite palestinienne qui est un récipient en aluminium ayant la forme d'un moule à baba avec couvercle et régulateur métallique de chaleur. Elle se pose directement sur le gaz et fait fonction de four. On peut se la procurer dans certaines quincailleries spécialisées dans la vente d'ustensiles du Moyen-Orient et du Maghreb. Mais, il est possible de la remplacer par n'importe quel moule ou plat allant au four.

Préparer la farce en battant ensemble à la fourchette les œufs et le lait. Ajouter les fromages et faire une purée en mélangeant tous les ingrédients.

Huiler le récipient de cuisson. Le poser sur le feu. Y verser 2 cuillers à café de farine et faire revenir en remuant avec une cuiller en bois jusqu'à ce qu'elle roussisse (environ 2 minutes).

Placer dans le fond 3 feuilles en les fronçant pour adapter à la grandeur du plat. Etaler dessus la moitié de la farce et recouvrir de 3 autres feuilles. Verser sur toute la surface le restant de la farce. Parsemer de quelques coquilles de margarine.

Mettre à cuire sur le gaz ou au four (selon le cas), à feu moyen pendant environ 45 minutes jusqu'à ce que le dessus prenne une coloration bien dorée.

Laisser refroidir durant 5 minutes avant de servir le soufflé découpé en quartiers.

Ce mets se mange en entrée et peut s'accompagner de pastèque ou de melon. Certains le saupoudrent de sucre.

214. *FEUILLETE AUX NOIX*
Diblas de Purim

Dessert
Pour 6 personnes

Temps de préparation : 15 minutes
Temps de cuisson : 45 minutes

Ingrédients

8 feuilles de fila *fine (la feuille mesurant 40 centimètres sur 35 centimètres)*
150 g de margarine fondue plus 1 bonne noix pour graisser le récipient de cuisson

Farce

8 cuillers à soupe bien pleines de noix passées à la moulinette électrique (1)
8 cuillers à soupe de sucre en poudre
2 cuillers à café de cannelle

Sirop

2 verres de sucre en poudre
2 1/2 verres d'eau
1 cuiller à soupe de jus de citron

Préparation

Préparer la farce en mélangeant tous les ingrédients concernés.

Utiliser un moule pâtissier à bords relevés d'environ 22 centimètres de diamètre. Le graisser avec une bonne noix de margarine et étaler dans son

(1) A remplacer éventuellement par des amandes.

fond 4 feuilles de *fila*. Imbiber sa dernière couche de margarine fondue (environ 50 g).

Saupoudrer de farce et couvrir d'une deuxième pile de 4 feuilles. Imprégner toute la surface de margarine fondue (environ 50 g).

Mettre à cuire à four moyen durant 20 minutes. Retirer du four et dessiner sur toute la face du feuilleté des losanges d'environ 5 centimètres sur 5 centimètres en découpant avec un couteau jusqu'au fond. Verser dessus le restant de margarine fondue très chaude et mettre à nouveau au four pour faire dorer (environ 25 minutes).

Dans une casserole, mélanger les ingrédients du sirop. Faire légèrement épaissir à feu plutôt vif, durant 10 à 15 minutes en tournant deux à trois fois avec une cuiller en bois.

Faire couler le sirop froid (1) sur le feuilleté chaud (au sortir du four). Laisser absorber.

Servir en détachant les losanges.

Cette pâtisserie est préparée pour la fête de *Purim*.

(1) Laisser refroidir le sirop pendant 30 minutes environ.

BEIGNETS
Bimuelas

215. *BEIGNETS DE PAQUE*
Bimuelos

Pour 4 personnes
(Une dizaine de beignets)

Temps de préparation : 15 minutes
Temps de friture : 25 minutes

Ingrédients

4 carrés de pain azyme extra-fin (15 centimètres sur 17 centimètres)
4 œufs
1 pincée de sel
Huile pour la friture

Décoration
Sucre glace

Préparation

Tremper les carrés de pain azyme dans de l'eau tiède pendant 10 minutes. Les égoutter, les essorer dans un torchon propre, les mettre dans un saladier. Saler et mélanger avec les œufs.

Dans une poêle, faire chauffer de l'huile et y plonger des cuillers à soupe pleines de pâte. Laisser fortement colorer des deux côtés. Les beignets au cours de leur cuisson durcissent et prennent la forme d'une boulette de la grosseur d'une bonne pomme de terre.

Les manger chauds en les sucrant à volonté.

Accompagnés d'œufs durs, les bimuelos constituent l'entrée des deux premiers soirs de Pâque. Ils sont également servis au petit déjeuner durant cette période.

Traditionnellement, on utilise pour leur friture une poêle spéciale dont le fond est muni de ronds creux. Mais il est possible d'employer une poêle ordinaire.

216. *BEIGNETS DE PAQUE AUX EPINARDS*
Bimuelos d'espinaka

Pour 4 personnes
(Une dizaine de beignets)

Temps de préparation : 15 minutes
Temps de friture : 25 minutes

Ingrédients

4 carrés de pain azyme extra-fin (15 centimètres sur 17 centimètres)
4 œufs
2 verres d'épinards (équeutés, lavés, finement hachés et séchés)
1 pincée de sel
Huile pour la friture

Décoration
Sucre glace

Préparation

Prendre deux grosses poignées d'épinards. Les équeuter, les laver, les égoutter, les essorer en les pressant dans la paume de la main, les passer à la moulinette électrique ou les hacher finement au couteau, les étaler et les laisser sécher toute une nuit.

Pour le reste de la préparation, procéder selon la recette précédente en ajoutant à la pâte les épinards séchés.

GATEAUX
Pastas

217. *CHARLOTTE AU MALLEBI*
Pasta kon mallebi (1)

Pour 6 à 8 personnes

Temps de préparation : 20 minutes
Temps de cuisson de la crème : 20 à 25 minutes

Ingrédients

350 g de biscuits petit-beurre ou à la cuiller
1 verre ou 1 bol de lait

La crème

1 litre de lait
1/2 verre de farine de maïs ou de riz
1/2 verre de sucre en poudre
3 cuillers à soupe de cacao en poudre, dégraissé et non sucré
2 œufs battus
125 g de margarine

(1) Crème à base de lait épaissi. Utiliser une casserole en aluminium ou en inox pour la cuisson de la crème.

Préparation

Faire bouillir le litre de lait et le laisser refroidir à la température ambiante pendant environ 1 h 30.

Mélanger la farine de maïs, le sucre et le cacao. Verser ce mélange dans la casserole contenant le lait refroidi. Ajouter les œufs battus. Bien mêler tous les ingrédients et faire disparaître les grumeaux au fouet.

Cuire à feu moyen en tournant continuellement avec une cuiller en bois jusqu'à épaississement (20 à 25 minutes).

Retirer du feu et faire fondre dans la crème 125 grammes de margarine.

Tremper un à un les biscuits dans le lait et les disposer au fur et à mesure en une couche, dans le fond d'un plat rectangulaire (mettre selon ses dimensions 8 à 10 biscuits par couche). Recouvrir généreusement de crème en l'étalant uniformément (7 à 8 cuillers à soupe bien pleines). Renouveller l'opération jusqu'à épuisement des biscuits et terminer en nappant de crème. On obtient ainsi un gâteau formé de 5 couches de biscuits intercalés de 5 couches de crème.

Prendre la précaution d'étaler la crème avant sa coagulation.

Mettre dans le réfrigérateur et servir très frais.

VARIANTE AUX FRUITS SECS

Préparer la crème en ajoutant aux ingrédients qui la composent 1 cuiller à café de Nescafé en poudre. Imbiber les biscuits de lait parfumé au cognac (1 à 2 cuillers à soupe).

Mélanger selon le goût, 1 cuiller à soupe de chocolat noir râpé, 1 cuiller à soupe de noix de coco râpée (ou de noisettes râpées ou en poudre), 1 cuiller à soupe d'amandes mondées en poudre. En saupoudrer généreusement chaque couche de crème.

218. CHARLOTTE AUX BANANES
Pasta kon bananas

Pour 4 à 6 personnes

Temps de préparation : 15 minutes

Ingrédients

20 biscuits à la cuiller ou de Savoie (environ 200 g)
20 cl de crème fraîche ou de crème chantilly
3 bananes
5 carrés de chocolat noir râpé
1 grand bol de lait

Préparation

Disposer dans le plat de service une couche de biscuits trempés dans le lait et aussitôt retirés. Etaler par-dessus une bonne couche de crème fraîche et recouvrir toute sa surface de fines rondelles de bananes.

Alterner de nouveau de la même façon biscuits, crème et bananes. Décorer en saupoudrant de chocolat râpé.

Laisser refroidir dans le réfrigérateur durant au moins 3 heures avant de servir.

219. GATEAU SALAMI
Pour 8 personnes

Temps de préparation : 25 minutes

Ingrédients

350 g de biscuits petit-beurre
125 g de margarine
2 œufs
3 cuillers à soupe bien pleines de cacao en poudre, dégraissé et non sucré.
3 cuillers à soupe rases de sucre en poudre

4 cuillers à soupe de lait ou de cognac (plus ou moins)
5 carrés de chocolat noir
75 g (environ) d'amandes mondées et effilées ou la même quantité de pignons, de pistaches, de noisettes ou de noix (au choix)

Préparation

Dans un grand saladier, mettre les biscuits cassés en morceaux. Les mélanger au fur et à mesure avec le cacao, le sucre, les œufs et la margarine ramollie à la température ambiante. Se servir d'une fourchette pour bien écraser et répartir tous les ingrédients. Mouiller avec du lait ou du cognac et pétrir en mêlant le tout. Mettre en dernier le chocolat coupé en petits morceaux ainsi que les fruits secs.

Enrouler la pâte dans du papier aluminium en lui donnant la forme d'un salami de l'épaisseur d'une bûche.

Laisser refroidir et durcir dans le compartiment à glace du réfrigérateur pendant au moins 4 heures.

Enlever le papier et servir le gâteau froid, découpé en tranches fines d'à peu près 0,5 cm d'épaisseur.

---

220. *GATEAU DE SEMOULE*
Pasta de semola

Pour 6 personnes

Temps de préparation : 10 minutes
Temps de cuisson : 20 minutes

Ingrédients

2 verres de lait ou de jus d'orange ou 1 1/2 verre de jus d'orange plus 1/2 verre de jus de citron

4 verres d'eau
1 verre de semoule (grain moyen)
1 verre de sucre en poudre

Décoration

Au choix et environ :

1 cuiller à soupe de raisins secs
1 cuiller à soupe de pignons
1 cuiller à soupe d'amandes mondées et effilées
1 cuiller à soupe de noix de coco râpée
1 cuiller à soupe de pelures d'oranges confites
1 cuiller à soupe de noix

Préparation

Faire bouillir le lait et l'eau mélangés. Y jeter en pluie la semoule (non lavée) et le sucre. Porter à ébullition sur feu moyen (environ 5 minutes), puis faire cuire à feu doux pendant 15 minutes tout en tournant continuellement jusqu'à épaississement du liquide.

Retirer du feu et verser aussitôt la crème épaisse ainsi obtenue dans un moule à baba (préalablement passé à l'eau froide).

Laisser refroidir et servir démoulé en parsemant de fruits secs.

221. PAIN D'ESPAGNE
Pan d'Espanya

Pour 10 personnes

Temps de préparation : 20 minutes
Temps de cuisson : 45 minutes

Ingrédients

4 œufs
2 verres de sucre en poudre
2 verres de limonade
500 g de farine
1 sachet de levure chimique pour 500 g de farine
200 g de margarine

Préparation

Dans un grand saladier, battre les œufs et le sucre (au batteur électrique). Y verser la limonade, la farine, la levure et la margarine. Continuer à travailler les différents ingrédients au batteur jusqu'à obtention d'une pâte parfaitement homogène.

Transvaser la pâte en la répartissant uniformément dans un moule à baba, graissé au préalable. Laisser cuire à four moyen (préalablement chauffé pendant 10 minutes) durant environ 45 minutes.

Vérifier la cuisson du gâteau en y enfonçant la pointe d'un cure-dent, qui doit ressortir sans qu'y adhère la moindre particule de pâte.

222. GATEAU AUX NOIX
Pasta de mwez

Pour 8 personnes, pour Pâque

Temps de préparation : 20 minutes
Temps de cuisson : 1 heure à 1 h 25

Ingrédients

5 œufs
4 tasses à café de sucre en poudre
3 tasses à café de noix pilées ou passées à la moulinette électrique
2 tasses à café de semoule de pain azyme
1 orange (le jus et le zeste râpé)

Préparation

Dans un grand récipient, battre les œufs à la fourchette. Ajouter en mélangeant au fur et à mesure tous les ingrédients, en incorporant en dernier le zeste et le jus de l'orange. Mélanger à nouveau et verser en répartissant uniformément dans un moule à baba, graissé au préalable.

Laisser cuire à feu très doux (au four) afin d'obtenir un gâteau très moelleux.

223. GATEAU AU SIROP
Tichpichti

Pour 8 personnes, pour Pâque

Temps de préparation : 25 minutes
Temps de cuisson : 30 minutes

Ingrédients

5 œufs
1 verre de sucre en poudre
2 verres de noix pilées
3/4 de verre d'huile
1 orange (le jus et le zeste râpé)
1 verre 3/4 de semoule de pain azyme

Sirop

2 verres 1/2 de sucre en poudre
3 verres d'eau
1 cuiller à soupe de jus de citron

Préparation

Battre les œufs à la fourchette et ajouter tous les autres ingrédients en mélangeant au fur et à mesure. Répartir la pâte dans un moule pâtissier rond d'environ 22 centimètres de diamètre (le graisser au préalable). Cuire à four moyen (1) durant 30 minutes.

Préparer le sirop en faisant bouillir le sucre, l'eau et le citron mélangés. Laisser légèrement épaissir et retirer aussitôt (10 à 20 minutes sur feu vif).

Arroser le gâteau tout chaud de sirop tiède (refroidi pendant une trentaine de minutes).

Servir en découpant en losanges de 5 centimètres de côté.

224. *SABLE DE PAQUE*
Kurabye de Pesah

Pour 6 personnes

Temps de préparation : 10 minutes

(1) Chauffé au préalable pendant 10 minutes.

Temps de cuisson : 20 à 25 minutes

Ingrédients

1 verre d'huile
1 verre de sucre en poudre
1 verre de noix passées à la moulinette électrique
2 cuillers à café de cannelle en poudre
1 cuiller à café de clous de girofle en poudre
1 1/2 verre de farine
1 1/2 verre de semoule de pain azyme

Préparation

Utiliser pour la préparation du sablé, un moule pâtissier rond d'environ 24 centimètres de diamètre. Mettre directement dans le récipient de cuisson, d'abord l'huile et puis successivement tous les autres ingrédients.

Mélanger et pétrir jusqu'à obtention d'une pâte assez consistante. L'aplatir uniformément en faisant rouler un verre sur toute sa surface.

Faire chauffer le four 10 minutes avant de mettre à cuire à feu moyen pendant 10 à 12 minutes. Retirer du four sans pour autant l'éteindre. Former sur toute la surface du sablé des losanges ou des carrés (4,5 centimètres) en enfonçant un couteau jusqu'au fond. Enfourner à nouveau et laisser cuire pendant environ 10 à 13 minutes.

Veiller à ne pas brûler le gâteau en prolongeant de trop la cuisson.

Laisser refroidir avant de découper les losanges.

Le gâteau obtenu a environ 1 centimètre d'épaisseur.

Il est d'usage de le servir pour marquer la fin de la période pascale.

Confitures, douceurs
et friandises

Dulses i savor de boka

CONFITURES

Dulses

Les confitures se consomment au petit déjeuner et au goûter. Mais aussi, en signe de bienvenue, il est d'usage en Orient d'offrir aux hôtes en même temps que le café turc, de la confiture accompagnée d'un verre d'eau.

La présentation se fait sur un plateau, chaque convive se servant une seule fois avec la cuiller qui lui est réservée.

Cette coutume est bien ancrée parmi les Judéo-Espagnols et les maîtresses de maison l'honorent en destinant leur argenterie la plus fine et leurs plus beaux cristaux à cet effet.

Pour la préparation des confitures, il est recommandé d'utiliser une bassine ou une casserole, haute et large, en inox, en cuivre ou en aluminium. Les récipients en émail sont à éviter, car ils attachent.

La confection des confitures nécessite une surveillance constante. Leur réussite dépend de la puissance du feu et du temps de cuisson. Un feu trop faible risque de les laisser liquides ; en revanche, une cuisson trop intense peut les caraméliser. Régler la flamme en veillant à ce que la confiture bouillisse moyennement et faire cuire les confitures à feu plutôt modéré (entre moyen et doux). L'expérience acquise au bout de quelques tentatives permet de trouver le juste milieu.

La fin de cuisson des confitures demande une attention plus soutenue (les 20 dernières minutes), car c'est souvent à ce moment-là qu'elles durcissent si on les expose à feu vif.

Tourner et écumer les confitures durant leur cuisson. Les cuire à découvert.

Les confitures même ratées peuvent se rattraper. C'est pour cela que l'on prélève une cuillerée et qu'on laisse refroidir la confiture recouverte d'un linge propre dans son récipient de cuisson, durant une à deux heures avant sa mise en pots. La quantité prélevée permettra de se rendre compte en une demi-heure, si la confiture est cuite à point.

Prolonger sa cuisson de 5 à 15 minutes (ou un peu plus) en augmentant légèrement le feu, si la confiture est trop liquide.

Cuire à nouveau les confitures qui ont durci, pendant environ une vingtaine de minutes à tout petit feu en ajoutant un verre d'eau tiède et le jus d'un citron. De même, les confitures qui se cristallisent ou bien qui moisissent peuvent être récupérées par ce procédé (enlever la couche de moisissure).

Dans tous les cas, mélanger les ingrédients en tournant avec une cuiller de temps en temps.

225. *CONFITURE DE POMMES RAPEES*
Dulse de mansana

Temps de préparation : 15 minutes
Temps de cuisson : 55 minutes

Ingrédients

1 kg de pommes
1 kg de sucre en poudre (ou cristallisé)
3 verres d'eau
2 citrons
1 petit sachet de sucre vanillé en poudre (facultatif)

Préparation

Le goût de cette confiture dépend de la variété des pommes. Les choisir selon le goût, douces ou acides, jaunes, rouges ou vertes.

Eplucher, laver et couper les pommes en deux ou en quatre. Enlever les pépins et la partie dure du cœur. Râper les pommes.

Dans une casserole à confiture, faire fondre à feu plutôt vif le sucre dans l'eau (environ dix minutes), en mélangeant deux ou trois fois avec une cuiller en bois. Ajouter les pommes râpées et 5 minutes après le jus de citron. Laisser cuire à feu plutôt doux en tournant de temps en temps. Surveiller la flamme et la régler de manière à ce que la surface du sirop moutonne. Ecumer. 35 à 40 minutes après le début de la cuisson, commencer à laisser tomber quelques gouttes du liquide dans une assiette : la goutte épaissie, alourdie et légèrement élastique indique que la confiture est cuite à point. Si nécessaire, accélérer la cuisson 5 à 10 minutes avant la fin.

Retirer du feu, prélever une cuillerée que l'on mettra dans une assiette et laisser refroidir la confiture dans la casserole recouverte d'un linge propre, durant une à deux heures à la température ambiante. La quantité de confiture mise de côté permettra de vérifier sa cuisson au bout d'une demi-heure de refroidissement. Se reporter au début de ce chapitre pour rattraper les confitures ratées (trop liquides ou caramélisées).

226. *CONFITURE DE COINGS RAPES*
Dulse de bimbriyo

Temps de préparation : 25 minutes
Temps de cuisson : 1 heure

Ingrédients

1 kg de coings
1 kg de sucre en poudre (ou cristallisé)
3 verres d'eau
2 citrons

Préparation

Eplucher, laver, couper les coings en deux ou en quatre. Oter les pépins et les parties dures du cœur. Râper les coings.

Pour la suite de la préparation, voir la recette de *confiture de pommes* (n° 225).

227. *CONFITURE DE ROSES*
Dulse de roza

Cette confiture se prépare à partir

d'un concentré de roses et comporte deux étapes.

a) - *Concentré de roses*
   Maya de roza

Temps de préparation : 1 h 30
Temps de cuisson : 10 à 15 minutes

Ingrédients

8 verres de pétales de roses (environ 600 g)
3 citrons
775 g de sucre en poudre ou cristallisé (environ)
1/2 verre d'eau

Préparation

Se procurer des roses non traitées, de couleur rose, très fournies odorantes et arrivées à leur maturité (la meilleure saison est le printemps). Prévoir une quantité suffisante pour recueillir 600 grammes de pétales.

Effeuiller les roses et détacher (1) les pointes blanches à la base des pétales, qui peuvent être amères.

Mettre les pétales dans un tamis (2) et remuer plusieurs fois afin d'en chasser les éventuels insectes.

Transvaser les pétales dans une bassine à confiture et malaxer avec le jus de citron. Laisser macérer durant 1 heure environ.

(1) Le faire à la main ou se servir de ciseaux.
(2) On peut également utiliser à cette fin un panier à salade ou un chinois.

Ajouter le sucre, l'eau et faire bouillir à feu moyen en tournant à plusieurs reprises avec une cuiller pendant 10 à 15 minutes.

Retirer du feu. Laisser refroidir le concentré dans son récipient en le recouvrant d'un linge propre pendant une à deux heures avant de le transvaser dans un pot.

Ce concentré peut se conserver longtemps avant son utilisation.

b) - *Confiture de roses*
   Dulse de roza

Temps de cuisson : 40 minutes

Ingrédients

La quantité de concentré de roses obtenue précédemment (environ 6 cuillers à soupe bien pleines)
500 g de sucre en poudre
2 verres d'eau
1 citron

Préparation

Faire bouillir le sucre et l'eau pendant 10 minutes à feu plutôt modéré en tournant de temps en temps. Ajouter le concentré de roses, mélanger deux à trois fois et laisser cuire durant 10 minutes. Verser le jus de citron et prolonger la cuisson de 20 minutes en touillant et en écumant.

Retirer du feu après avoir vérifié le degré de cuisson de la confiture (voir explications dans la recette de *confiture de pommes* n° 225). Se reporter si nécessaire à l'introduction pour rattraper la confiture ratée.

228. *CONFITURE D'ABRICOTS SECS*
Dulse de kayisi seko

Temps de cuisson : 1 h 20

Ingrédients
500 g d'abricots secs
1 kg de sucre en poudre
1 1/2 verre d'eau
2 citrons

Préparation

Laisser tremper les abricots secs dans de l'eau fraîche pendant 24 heures. Changer l'eau trois fois, durant ce laps de temps.

Laver, égoutter les abricots. Enlever l'eau en les pressant légèrement dans la paume de la main.

Pour la suite de la préparation, voir recette « *confiture de pommes* » (n° 225). Faire cuire plus longtemps (1 h 20).

VARIANTE AUX AMANDES
Dulse de kayisi kon almendras

Temps de préparation : 30 minutes
Temps de cuisson : 1 h 20

Ingrédients
500 g d'abricots secs
1 kg de sucre en poudre
1 1/2 verre d'eau
2 citrons
100 g d'amandes décortiquées

Préparation

Mettre à tremper les abricots et les amandes séparément pendant 24 heures.

Monder, laver et égoutter les amandes (voir recette n° 239).

Laver et presser légèrement les abricots dans la paume de la main pour extraire l'eau.

Pour la suite de la préparation, procéder comme à la recette de *confiture de pommes* (n° 225).

Ajouter les amandes 15 minutes avant la fin de cuisson (environ 1 h 20 en tout).

229. *MARMELADE D'ABRICOTS*
Marmalata de kayisi

Temps de préparation : 15minutes
Temps de cuisson : 1 heure

Ingrédients
1 kg d'abricots frais
650 g de sucre en poudre
1/2 verre d'eau
1 citron

Préparation

Laver, dénoyauter et réduire en purée les abricots (1).

Mettre la purée d'abricots dans le récipient de cuisson, ajouter le sucre, l'eau, le jus de citron et faire cuire à tout petit feu. Tourner avec une cuiller de temps en temps. 10 minutes avant la fin de cuisson, remuer plus régulièrement pour éviter que la marmelade ne colle (2).

(1) Les passer à la moulinette électrique.
(2) 1 heure de cuisson en tout.

Retirer du feu, prélever une cuiller (1) et laisser refroidir dans la casserole en couvrant d'un linge propre, durant environ 2 heures avant la mise en pots.

230. *CONFITURE D'ORANGES*
Dulse de portokal

Temps de préparation : 30 minutes
Temps de cuisson : 1 heure

Ingrédients

1 kg d'oranges
1 kg de sucre en poudre
1 verre d'eau
1 citron

Préparation

Enlever l'écorce des oranges de façon à découvrir la pulpe blanche du fruit (2).

Laver les oranges et les mettre dans une casserole remplie d'eau. Porter à ébullition (environ 10 minutes) et laisser cuire à gros bouillons pendant 5 minutes (à couvert).

Retirer du feu. Egoutter et laisser refroidir les oranges pendant une demi-heure. Diviser les oranges en quatre dans le sens de la longueur et chaque quart en six morceaux transversaux.

(1) La cuiller prélevée permet de savoir au bout d'une demi-heure de refroidissement à la température ambiante, si la confiture est réussie. Sinon, on prolonge sa cuisson.
(2) Celle-ci doit rester attachée à la chair de l'orange.

Dans une bassine à confiture, faire fondre à feu vif le sucre dans l'eau (environ 10 minutes) en mélangeant deux à trois fois. Ajouter les oranges coupées en morceaux et faire cuire pendant 5 minutes en remuant quelques fois. Verser le jus de citron et prolonger la cuisson durant 45 minutes à feu modéré.

Retirer du feu, prélever une cuillerée et laisser refroidir la confiture dans son récipient de cuisson (recouvert d'un linge propre). Voir les autres détails permettant de juger si la confiture est cuite à point dans la recette de *confiture de pommes* (n° 225).

231. *CONFITURE DE FRAISES*
Dulse de frangula

Temps de préparation : 20 minutes
Temps de cuisson : 1 heure

Ingrédients

1 kg de fraises
1 kg de sucre en poudre
1 1/2 verre d'eau
2 citrons

Préparation

La veille au soir, éplucher, laver et égoutter les fraises. Les mettre dans un grand saladier et les couvrir d'un kilo de sucre. Laisser macérer toute la nuit en entreposant dans le réfrigérateur.

Le lendemain, transvaser dans une bassine à confiture et faire cuire à feu modéré en ajoutant l'eau et le jus de citron (environ 1 heure).

Pour les explications complémentaires, voir début de ce chapitre (*confiture de pommes,* n° 225).

Lire éventuellement les détails donnés dans la partie introductive de ce chapitre pour rattraper la confiture ratée.

232. *CONFITURE DE FIGUES*
Dulse de igo

Temps de préparation : 20 minutes
Temps de cuisson : 1 heure

Ingrédients
1 kg de toutes petites figues violettes (40 figues environ)
1 kg de sucre en poudre
1 1/2 verre d'eau
1/2 tasse à café de jus de citron (2 citrons environ)
1 cuiller à café de clous de girofle

Préparation

Laver soigneusement les figues. Les équeuter si nécessaire. Les égoutter. Les mettre dans une bassine à confiture, les couvrir d'un kilo de sucre. Laisser macérer toute une nuit.

Le lendemain, ajouter l'eau, le jus de citron et faire cuire à feu moyen pendant 20 minutes. Retirer du feu et transvaser dans un récipient en verre (1). Une heure après, couvrir et laisser les figues tremper dans leur bain durant 10 heures.

(1) Dans un grand saladier, par exemple.

Au bout de ce temps, remettre le tout dans la casserole et porter à ébullition sur feu moyen (10 minutes environ). Réduire la flamme et faire cuire à feu modéré. Tourner de temps en temps et écumer. Augmenter la flamme 10 minutes avant la fin de cuisson et laisser se former de gros bouillons à la surface du liquide, en veillant à l'épaississement du sirop (2).

Ajouter les clous de girofle 5 minutes avant d'arrêter la cuisson qui doit être menée jusqu'à la fin à feu plutôt fort (les 10 dernières minutes) (3).

Retirer du feu, prélever une cuillerée et laisser refroidir la confiture dans son récipient en le couvrant d'un linge propre durant 2 heures avant sa mise en pots (4).

(2) Pour plus de précisions, voir *confiture de pommes* (recette n° 225).
(3) 1 heure depuis le début.
(4) La quantité prélevée permettra après une demi-heure de se rendre compte si la confiture est cuite à point. Pour rattraper la confiture, voir début de ce chapitre.

LES DOUCEURS

233. *CONFITURE BLANCHE*
Charope blanko

Temps de cuisson : environ 20 minutes

Ingrédients

250 g de sucre en poudre
15 cl d'eau
1/2 cuiller à soupe de jus de citron

Préparation

Dans une bassine à confiture, fondre le sucre et l'eau sur feu plutôt moyen, en tournant avec une cuiller en bois (15 minutes). Laisser se former des bouillons moyens. Ecumer.

Ajouter le jus de citron et cuire pendant environ 5 minutes. Vérifier la cuisson du sirop en faisant tomber une goutte dans une assiette : celle-ci devient élastique, blanchâtre et forme un fil.

Retirer du feu et transvaser aussitôt dans un récipient en verre. Laisser tiédir pendant environ 25 minutes. Tourner la confiture (rapidement et toujours dans le même sens) à l'aide d'une cuiller en bois en commençant par le milieu, jusqu'à ce qu'elle devienne blanche comme le lait (environ 1 minute). Malaxer en se mouillant les mains pour obtenir une pâte souple et homogène. Mettre dans un bol à confiture, couvrir avec une serviette humide et entreposer dans le réfrigérateur.

La réussite du *charope blanko* dépend du temps et de l'intensité de la cuisson.

Cette confiture est offerte aux hôtes en guise de bienvenue, et tout particulièrement pendant la période pascale.

234. *PATE DE COINGS*
Halva ou pasta de bimbriyo

Temps de préparation : 40 minutes
Temps de cuisson : 15 minutes

Ingrédients

2 coings bien jaunes (environ 700 g) (1)
1 1/2 verre d'eau
2 verres de sucre en poudre
2 citrons

Préparation

Oter la peau des coings, les couper en quartiers, les débarrasser des parties dures du centre et des pépins. Les laver et les cuire à couvert dans 1 1/2 verre d'eau, durant 20 minutes jusqu'à ramollissement (feu moyen).

Les égoutter et les laisser refroidir dans la passoire (environ 20 minutes). Les réduire en purée (à la fourchette).

Mesurer la quantité obtenue et ajouter autant de sucre ainsi que le jus d'un citron pour 2 verres de purée de coings. Transvaser le tout dans une bassine à confiture et faire cuire à feu moyen. Pendant la cuisson, tourner la pâte et l'aplatir avec le dos d'une écumoire jusqu'à évaporation complète du jus et obtention d'une pâte compacte qui se détache facilement de la casserole (environ 15 minutes).

Arroser avec le jus d'un demi-citron le fond d'une grande assiette plate. Y

_____

(1) Pour obtenir deux verres de purée de coings.

répartir uniformément la pâte de coings toute chaude (à 1,5 cm d'épaisseur). Lisser toute sa surface en y versant le jus d'un demi-citron.

Laisser refroidir et découper en losanges de 5,5 cm de côté.

Cette pâte peut se conserver jusqu'à trois mois. Il n'est pas nécessaire de l'entreposer dans le réfrigérateur.

235. *GELEE DE COINGS*
Loap de bimbriyo

Temps de préparation : 1 heure
Temps de cuisson : 25 minutes

Ingrédients
2 coings bien mûrs
2 cuillers à soupe de jus de citron (pour le moule)

La gelée
4 tasses à café de jus de coings
2 tasses à café de sucre en poudre
2 cuillers à soupe de jus de citron

Préparation

Laver les coings. Les couper en morceaux sans les éplucher. Les mettre dans une casserole avec leurs pépins et tous leurs déchets. Couvrir d'eau et faire cuire à feu moyen pendant 40 minutes (couvert) jusqu'à ramollissement complet.

Recueillir le jus de cuisson dans une bassine à confiture en versant le tout dans un chinois. Ecraser la pulpe des fruits, en tirer si possible le jus. Mesurer la quantité de liquide obtenue, y ajouter la moitié de sucre en poudre ainsi

qu'une cuiller à soupe de jus de citron pour 2 tasses de jus de coings.

Cuire à découvert sur feu moyen durant environ 25 minutes en tournant avec une cuiller en bois de temps en temps. Laisser tomber dans une assiette quelques gouttes de sirop pour vérifier sa cuisson. La gelée est à point, lorsque la goutte s'épaissit et s'alourdit.

Enduire de jus de citron les parois internes d'un pot ou de tout petits moules en verre ou en porcelaine, y faire couler la gelée toute chaude. Laisser refroidir pendant une demi-heure et lisser la surface en arrosant de jus de citron.

236. *DESSERT DE POTIRON*
Dulse de balkabak
Pour 4 personnes

Temps de préparation : 10 minutes
Temps de cuisson : 1 heure environ

Ingrédients
2 quartiers de potiron (environ 1,300 kg)
1 1/2 verre de sucre en poudre
1/4 de verre d'eau

Garniture
1 verre de noix en poudre
1 pot de crème fraîche

Préparation

Enlever l'écorce et couper chaque quartier de potiron dans le sens de sa largeur en cinq morceaux d'environ 4 centimètres sur 7 centimètres. Les laver et les disposer les uns à côté des autres dans une bassine à confiture (la base de chaque morceau en contact avec le fond du récipient). Couvrir de sucre chaque quartier, ajouter l'eau et cuire (couvert) à feu plutôt modéré jusqu'à absorption complète du liquide. Faire légèrement caraméliser.

Mettre dans le plat de service en présentant sa face caramélisée. Arroser de jus de cuisson, saupoudrer de noix en poudre.

Se mange tiède ou froid accompagné de *kaymak,* crème très épaisse de lait de bufflesse que l'on peut remplacer par de la crème fraîche.

237. *HAROSSI*
Pour 6 personnes

Temps de préparation : 1 heure
Temps de cuisson : 10 minutes environ

Ingrédients
250 g de dattes en branches (dénoyautées et hachées à la moulinette électrique)
250 g de pommes douces (lavées, épluchées et râpées)
1/4 à 1/2 verre de noix passées à la moulinette électrique
1 pelure d'orange avec sa pulpe blanche (bouillie (1), égouttée et hachée à la moulinette électrique)
125 g de sucre cristallisé
1 pincée de cannelle en poudre (facultatif)
5 clous de girofle moulus
1/2 verre d'eau bouillie au préalable
1 cuiller à soupe de jus de citron

---

(1) Mettre la pelure d'orange et sa pulpe blanche dans une casserole. Couvrir d'eau et faire bouillir durant 20 minutes environ.

Préparation

Dans une bassine à confiture, mettre successivement tous les ingrédients, sauf le jus de citron.

Cuire à feu doux en tournant continuellement avec une cuiller en bois pendant environ 10 à 12 minutes et arrêter la cuisson au moment où les différents composants se mélangent et forment une pâte assez onctueuse, de couleur brunâtre (verser le jus de citron 3 minutes avant de retirer du feu).

Laisser refroidir et conserver dans un pot.

Dans la tradition juive, le *harossi* symbolise le mortier employé par les Hébreux dans les travaux de construction auxquels ils étaient contraints durant leur esclavage en Egypte sous les pharaons.

Pendant les deux premiers soirs du *Seder* (2), les convives sont invités aux différents moments de la célébration à consommer du *harossi*. Il est notamment d'usage de faire des bouchées au pain azyme, laitue et *harossi*.

La quantité obtenue par les proportions ci-dessus a été calculée pour un dîner de Pâque.

(2) Célébration de la Pâque juive.

FRIANDISES

238. *CHATAIGNES CUITES*
Kastanyas kotchas

Pour 4 personnes

Temps de cuisson : 1 h 30

Ingrédients
500 g de châtaignes
1 cuiller à soupe de sucre en poudre (très pleine)
Eau

Décoration
Sucre en poudre

Préparation

Laver les châtaignes. Les mettre dans une casserole, ajouter 1 cuiller à soupe de sucre en poudre et les couvrir d'eau.

Cuire (à couvert) pendant 1 h 30 environ (à feu vif). Surveiller le niveau du liquide et si nécessaire l'allonger avec de l'eau chaude de façon à ce que les marrons baignent dans le bouillon.

Retirer du feu et laisser refroidir dans une passoire.

Servir les châtaignes saupoudrées de sucre.

239. *FIGUES FARCIES*
AUX AMANDES OU AUX NOIX
Empanadas de igos

Pour 6 personnes

Temps de préparation : 10 minutes

Ingrédients
250 g de figues sèches
15 cerneaux de noix ou 45 amandes mondées (1)

Préparation

Fendre les figues. Fourrer d'un cerneau de noix ou de trois amandes.

240. *DATTES FOURREES AUX NOIX*
OU AUX AMANDES
Datiles de mwez o de almandra

Pour 6 personnes

Temps de préparation : 15 minutes

Ingrédients
250 g de belles dattes en branches
6 gros cerneaux de noix ou 24 amandes mondées (2)

Préparation

Fendre les dattes, les dénoyauter et les fourrer d'un quart de cerneau de noix ou d'une amande.

Les présenter ainsi ou saisies au

(1) Pour monder les amandes, les plonger dans de l'eau bouillante (hors du feu), les retirer au fur et à mesure à l'aide d'un cuiller, les éplucher et les sécher dans un linge propre.
(2) Voir note ci-dessus.

171

four (1) – entre moyen et chaud – (10 à 15 minutes de cuisson (2).

Se sert pendant la période pascale.

241. *DATTES FARCIES AUX NOIX OU AUX AMANDES*
Datiles de mwez o de almendra majada

Pour 4 à 6 personnes

Temps de préparation : 20 minutes
Temps de cuisson : 10 à 15 minutes

Ingrédients

200 g de belles· dattes en branches
1 cuiller à soupe rase de semoule de pain azyme

Farce (aux noix)

1 verre de noix passées à la moulinette électrique
1/2 verre de sucre en poudre
1 blanc d'œuf
1 à 2 cuillers à café d'écorce d'orange râpée ou 1/2 pomme épluchée, râpée et essorée (facultatif)

Farce (aux amandes)

1 verre d'amandes mondées (3) et passées à la moulinette électrique
1/2 verre de sucre en poudre
1 blanc d'œuf

(1) Chauffé au préalable durant 10 minutes.
(2) Disposer les dattes sur une tôle saupoudrée d'une petite cuiller à soupe de semoule de pain azyme.
(3) Monder les amandes selon la description de la note 1 de la page précédente.

Préparation

Préparer la farce en mélangeant les ingrédients. Fendre les dattes, les dénoyauter et les fourrer richement (1/2 à 1 cuiller à café de farce). Les disposer au fur et à mesure sur une tôle saupoudrée d'une cuiller rase de semoule de pain azyme et cuire au four (entre moyen et chaud) durant 10 à 15 minutes.

Les servir refroidies à la température ambiante. C'est une friandise de Pâque.

242. *BONBONS DE PAQUE*
Bonbones de Pesah

(22 boules)

Temps de préparation : 15 minutes

Ingrédients
2 verres d'amandes mondées et réduites en poudre
1 verre de sucre en poudre (ou cristallisé)
1 à 2 blancs d'œuf plus 6 cuillers à soupe de sucre cristallisé

Préparation

Mélanger tous les ingrédients et ajouter le deuxième blanc si la pâte obtenue est trop sèche.

Former des boules de la grosseur d'une noix (1 cuiller à café de farce bien pleine) (4).

Tapisser de sucre le plat de service (6 cuillers) et y disposer les bonbons.

(4) Ou donner d'autres formes : bâtonnets, cubes ou losanges.

Laisser sécher pendant 2 jours dans le réfrigérateur avant de les servir.

On peut également rouler les boules dans du sucre cristallisé avant de les poser dans le plat.

243. *NOIX AU FOUR*
Mwez tostadas
Pour 4 à 6 personnes

Temps de cuisson : 30 minutes environ

Ingrédients
500 g de noix non décortiquées

Préparation

Mouiller les noix et les disposer sur une plaque à four. Les laisser roussir à four chaud durant 30 minutes environ.

Les noix ainsi préparées se consomment tièdes ou refroidies (à la température ambiante) pendant la période pascale.

Les compotes

Kompostos

244. *COMPOTE DE POMMES*
Komposto de mansana

Pour 4 personnes

Temps de préparation : 10 minutes
Temps de cuisson : 25 minutes

Ingrédients
5 pommes
5 verres d'eau
1 verre de sucre en poudre

Préparation

Eplucher les pommes et enlever les parties dures du cœur. Les laver et les couper en 8 quartiers. Les mettre dans une casserole, les saupoudrer de sucre et les couvrir d'eau.

Cuire pendant 25 minutes sur feu moyen (à découvert).

Eventuellement, allonger le liquide en cours de cuisson en ajoutant de l'eau chaude.

Servir froid.

245. *COMPOTE DE COINGS*
Komposto de bimbriyo

Pour 4 personnes

Temps de préparation : 10 minutes
Temps de cuisson : 40 minutes

Ingrédients
3 coings
8 verres d'eau
1 verre de sucre en poudre

Préparation

Procéder selon la recette précédente. Laisser cuire à feu moyen pendant 40 minutes, à découvert. Surveiller le niveau du liquide et si nécessaire l'allonger avec de l'eau chaude.

Servir froid.

246. *COMPOTE D'ABRICOTS*
Komposto de kayisi

Pour 4 personnes

Temps de préparation : 5 minutes
Temps de cuisson : 20 minutes

Ingrédients
500 g d'abricots frais
4 verres d'eau
1 1/2 verre de sucre en poudre

Préparation

Laver et dénoyauter les abricots. Les faire cuire pendant 20 minutes. Voir recette nº 244 *(compote de pommes).*

Servir froid.

247. *COMPOTE D'ABRICOTS SECS*
Komposto de kayisi seko

Pour 4 personnes

Temps de préparation : 5 minutes
Temps de cuisson : 30 minutes

Ingrédients
250 g d'abricots secs qu'on aura laissé

tremper toute une nuit dans de l'eau fraîche
4 verres d'eau
1 1/2 verre de sucre en poudre

Préparation

Laver et égoutter les abricots trempés. Les cuire pendant 30 minutes en les recouvrant de sucre et d'eau (à découvert, feu moyen).
Servir froid.

248. *COMPOTE DE PRUNEAUX*
Komposto de prunas

Pour 4 personnes

Temps de préparation : 5 minutes
Temps de cuisson : 20 minutes

Ingrédients
250 g de pruneaux mis à tremper toute une nuit dans de l'eau fraîche
4 verres d'eau
1 verre de sucre en poudre

Préparation

Voir recette « *compote d'abricots secs* ». Laisser cuire les pruneaux pendant 20 minutes (feu moyen, à découvert).
Servir froid.

249. *COMPOTE DE RAISINS SECS*
Komposto de pasas ou Hochap

Pour 4 personnes

Temps de cuisson : 20 minutes

Ingrédients
250 g de raisins secs (sultanines)
7 verres d'eau
1 verre de sucre en poudre

Préparation

Laver les sultanines, les mettre dans une casserole, les saupoudrer de sucre et les couvrir d'eau.
Laisser cuire à feu moyen pendant 20 minutes (à découvert).
Si nécessaire, allonger le jus en ajoutant de l'eau chaude en cours de cuisson.
Servir froid.

250. *COMPOTE DE FRUITS VARIES*
Komposto de frutas meskladas

Pour 4 personnes

Temps de préparation : 10 minutes
Temps de cuisson : 40 minutes

Ingrédients
1 coing épluché, lavé et coupé en 8 quartiers
1 pomme épluchée, lavée et coupée en 8 quartiers
100 g d'abricots secs trempés toute une nuit dans de l'eau froide
100 g de pruneaux trempés toute une nuit dans de l'eau froide
4 verres d'eau
1 à 1 1/2 verre de sucre en poudre (selon le goût)

Préparation

Mettre les quartiers de coing dans une

casserole. Saupoudrer de sucre et couvrir d'eau. Laisser cuire pendant 15 minutes à feu moyen sans poser le
couvercle.

Ajouter tous les autres fruits et

prolonger la cuisson durant 25 minutes
(feu moyen, à découvert). Si nécessaire,
allonger le jus en ajoutant de l'eau
chaude en cours de cuisson.

Servir froid.

Les laitages

251. *YAOURT*
Yogurt

Pour 8 personnes

Temps de préparation : 15 minutes
Temps de fermentation : 8 heures

Ingrédients

1 kg de lait frais
2 cuillers à soupe très pleines de yaourt
délayées dans 3 cuillers à soupe d'eau

Préparation

Il nous a paru intéressant d'indiquer ici la préparation du yaourt qui est consommé entre les repas. Mais, en général, il est d'usage dans les familles judéo-espagnoles de Turquie de l'acheter tout prêt, car il est d'excellente qualité et bon marché.

Utiliser un récipient en terre muni d'un couvercle. Le choix du récipient est important pour la réussite du yaourt. Une soupière en céramique pourrait très bien faire l'affaire.

Bouillir le lait, le verser dans le récipient en terre et le laisser refroidir à la température ambiante pendant 20 à 25 minutes.

Dans deux coins opposés du récipient contenant le lait, verser tout doucement le yaourt délayé et réparti en quantité égale. Fermer avec le couvercle et placer le récipient près d'une source de chaleur (par exemple, le radiateur).

Recouvrir avec deux couvertures pliées en quatre, ou à défaut avec quelques vêtements en laine ou des serviettes-éponges afin de prolonger au maximum sa température du début (condition *sine qua non* de la réussite du yaourt). S'il n'y a pas de chauffage, mettre une couverture supplémentaire.

Laisser fermenter ainsi pendant toute une nuit. Le lendemain, le yaourt est prêt. Mettre dans le réfrigérateur et consommer froid.

Une fois entamé, le yaourt qui reste dans le récipient peut être mélangé afin de ne pas le laisser lâcher de l'eau.

252. *LAIT CAILLE A LA JUIVE*
Ayran a la djudia

(Un verre d'ayran)

Temps de préparation : 5 minutes

Ingrédients

1/2 verre de yaourt
1/2 verre d'eau
1 à 2 cuillers à café de sucre en poudre

Préparation

Battre le yaourt avec le sucre, ajouter l'eau et remuer avec une cuiller. Servir froid.

253. *CREME A L'EAU DE ROSE*
Mallebi

Pour 6 personnes

Temps de préparation : 10 minutes
Temps de cuisson : 20 minutes

Ingrédients

1 litre de lait frais
2 1/2 cuillers à soupe assez pleines de farine de maïs ou de riz

6 *cuillers à soupe rases de sucre en poudre*
1/4 de verre d'eau

Décoration

2 *cuillers à café de cannelle*

Parfum

1 cuiller à soupe d'eau de rose

Préparation

Faire bouillir le lait et le laisser refroidir durant 1 h 30 environ à la température ambiante. On peut tout aussi bien se servir de lait bouilli et refroidi au préalable.

Dans un bol, délayer dans 1/4 de verre d'eau, la farine de maïs et le sucre. Verser ce mélange dans le lait. Cuire à feu moyen en tournant continuellement avec une cuiller, jusqu'à épaississement du liquide qui doit prendre la consistance d'une crème (environ 20 minutes). Ne pas laisser se former des bouillons et baisser le feu si nécessaire.

Retirer du feu et répartir immédiatement le *mallebi* dans six coupelles. Laisser refroidir et servir très frais en saupoudrant de cannelle et en arrosant d'un filet d'eau de rose.

254. *CREME AU CHOCOLAT*
Mallebi kon chokolat

Pour 6 personnes

Temps de préparation : 10 minutes
Temps de cuisson : 20 minutes

Ingrédients

1 litre de lait frais
2 1/2 cuillers à soupe assez pleines de farine de maïs ou de riz
6 cuillers à soupe rases de sucre en poudre
2 1/2 cuillers à soupe bien pleines de cacao non sucré en poudre
1/4 de verre d'eau

Préparation

Bouillir le lait et le laisser refroidir pendant 1 h 30 à la température ambiante (1).

Délayer dans 1/4 de verre d'eau, la farine de maïs, le sucre et le cacao en ajoutant si nécessaire un peu d'eau.

Verser ce mélange dans le lait, éliminer les grumeaux au fouet. Cuire à feu moyen en tournant continuellement avec une cuiller en bois jusqu'à épaississement du liquide (20 minutes). Ne pas laisser se former des bouillons.

Retirer du feu, répartir immédiatement dans six coupelles (avant la coagulation).

Servir froid.

(1) Il est conseillé de se servir d'une casserole en aluminium ou en inox pour la cuisson des crèmes. Ne pas utiliser les ustensiles en émail qui attachent.

255. *CREME AU RIZ*
Sutlatch

Pour 6 personnes

Temps de préparation : 10 minutes
Temps de cuisson : 55 minutes

Ingrédients

1 litre de lait frais
40 g de riz
3 cuillers à soupe bien pleines de fécule de
pomme de terre ou de farine de riz
6 cuillers à soupe de sucre en poudre
1/2 verre d'eau

Préparation

Bouillir le lait et le laisser refroidir pendant 1 h 30.

Trier, laver et laisser tremper le riz durant 1 heure dans de l'eau tiède. Le rincer, l'égoutter et le cuire à l'eau (30 minutes). Rincer et égoutter à nouveau.

Verser dans le lait la fécule de pomme de terre délayée dans 1/2 verre de lait. Ajouter le sucre et le riz. Faire cuire à feu moyen, en tournant sans arrêt jusqu'à épaississement du mélange qui doit prendre la consistance d'une crème (25 minutes). Baisser le feu et prolonger la cuisson pendant 30 minutes (sans tourner).

Répartir immédiatement dans six coupelles. Laisser refroidir avant de servir.

Les boissons

Bevidas

256. *CAFE TURC*
Kavé

Pour 1 personne

Temps de cuisson : 5 minutes

Ingrédients

1 cuiller à café bien pleine de café moulu (1)
très finement, par tasse
1 à 2 cuillers à café de sucre en poudre par
tasse (selon le goût)
1 tasse à café d'eau

Préparation

Le café turc se prépare dans une cafetière spéciale que l'on peut se procurer dans les épiceries orientales. Il en existe différentes tailles.

Mettre dans la cafetière, le café, le sucre et l'eau (multiplier les quantités en fonction du nombre de personnes). Poser sur le feu (doux), mélanger plusieurs fois les ingrédients (au début) et laisser monter tout lentement, en surveillant. Dès que l'écume atteint les bords du récipient, retirer du feu et verser doucement dans la tasse.

Un bon café turc se reconnaît à l'épaisseur de la couche d'écume *(kaymak)* qui se forme à sa surface. Servir chaud et attendre la descente du marc (environ 5 minutes) avant de consommer.

_____

(1) Le café turc est en vente dans les brûleries.

LAIT CAILLE A LA JUIVE
Ayran à la djudia

Voir recette n° 252, dans le chapitre des *Laitages*.

257. *CITRONNADE*
Limonata

(Une dizaine de verres)

Temps de préparation : 15 minutes

Ingrédients
5 citrons non traités
1,5 litre d'eau
1/2 verre (ou plus) de sucre en poudre

Préparation

Laver les citrons, en extraire le jus et le conserver au réfrigérateur.

Mettre les écorces à tremper toute une nuit dans 1,5 litre d'eau. Le lendemain, recueillir cette eau dans une bassine en la faisant passer à travers un linge très fin. Presser également les écorces. Ajouter à ce liquide le jus de citron. Y faire dissoudre le sucre en remuant avec une cuiller. Transvaser dans des bouteilles et laisser bien refroidir avant de servir.

Consommer dans les trois jours qui suivent (au plus tard).

258. *SIROP ET CONFITURE DE GRIOTTES*
Churup i dulse de vichna

Temps de préparation : 30 minutes
Temps de cuisson : 1 heure

Ingrédients

1 kg de cerises anglaises ou de Montmorency
1,5 kg de sucre en poudre
1/2 verre d'eau
1 citron

Préparation

Laver, équeuter et dénoyauter les cerises.

Les mettre dans une bassine à confiture, les couvrir de sucre. Ajouter l'eau et cuire pendant 15 minutes à feu vif.

Verser le jus de citron et prolonger la cuisson en remuant de temps en temps durant 45 minutes (feu moyen).

Ecumer vers la fin. Pour juger si le sirop est à point, laisser tomber une goutte dans une assiette : celle-ci doit être très légèrement collante.

Retirer du feu, couvrir le récipient d'un linge propre et laisser refroidir pendant 1 à 2 heures avant la mise en pots (Voir chapitre confitures, pour plus de détails relatifs à la confection des confitures).

Enlever les fruits à l'aide d'une écumoire et les conserver à part. Les consommer comme confiture.

Mettre le sirop dans un bocal. Servir comme boisson rafraîchissante en mélangeant 1/3 de verre de sirop à 2/3 de verre d'eau glacée par convive.

MENUS DE FETES

ROCH HACHANA
(Nouvel an)

Poisson à grosse tête
Triangles au potiron (n° 210)
Boulettes aux poireaux (n° 130)
Salades
Poulet ou viande garnis de riz et d'un légume vert
Confitures de coings et de pommes (n° 226 et 225)
Fruits et dessert

A LA FIN DE KIPUR
(Jeûne du Grand Pardon)

Café au lait
Brioches
Biscuits (n° 201 et 202)
Tranches de pain trempées dans l'huile et saupoudrées de sucre
Potage au jus de poulet

PURIM

Filas de mwez (n° 212)
Diblas de Purim (n° 214)
Borekas de mwez (n° 199)
Dedos et *orejas de Aman* (n° 200 et 203)

PESAH

2 à 3 *bimuelos* par personne accompagnés d'un œuf dur (n°s 215, 216, 40)
Harosi (n° 237)
Laitue romaine (n° 21)
Salades
Poisson à la mayonnaise (n° 74)
Boulettes aux poireaux ou aux épinards (n° 130 ou 132)
Gratins de Pâque (n°s 145, 146, 147, 148 ou 149)
Agneau garni de pommes de terre et de légumes verts
Fruits
Gâteaux de Pâque (n°s 222, 223)

  Pour les *vijitas de Pesah* (visites de Pâque), la coutume veut que l'on offre du *masapan* (massepain) ou du *charope blanko* (confiture blanche n° 233).

Où trouver les produits ?

Antoine, 83, rue Saint-Honoré, Paris 1er.

Ara, 106, rue Mouffetard, Paris 5e.

Aux Cinq Continents, 75, rue de la Roquette, Paris 11e.

Baltaïan, 27, rue Bleue, Paris 9e.

Bosphore Set, 5, rue de l'Echiquier, Paris 10e.

Heratchian, 6, rue Lamartine, Paris 9e.

Légendes des illustrations

Illustrations au trait :

Haggadah de Pesah - 1904 - Livourne - Récit de Pâque relatant la sortie d'Egypte.

Table des matières

188

190

Remerciements

Ma plus grande reconnaissance va au professeur Haïm Vidal Sephiha, animateur et président infatigable de l'association *Vidas Largas*.

Mes remerciements vont aussi à Alain de Toledo, directeur du bulletin *Vidas Largas ;*

A Sarah Golub qui m'a si généreusement aidée ainsi qu'à Enrique Saporta y Beja, président d'honneur de *Vidas Largas,* qui a mis à ma disposition sa collection de cartes postales sur les métiers juifs de Salonique.

Achevé d'imprimer le 10 septembre 1984
sur les presses des Imprimeries Delmas,
à Artigues-près-Bordeaux.

Dépôt légal : septembre 1984.
N° d'impression : 33439.